LES ROMAINS

*****

LES ROMAINS

Suite romanesque en cinq volumes

Max Gallo

LES ROMAINS

*****

CONSTANTIN LE GRAND

L'Empire du Christ

Fayard

REPÈRES CHRONOLOGIQUES

Romulus : 754-715 av. J.-C.
République romaine

Marius, consul : 107 av. J.-C.
Sylla, consul : 88 av. J.-C.
• Guerre servile de *Spartacus* : 73-71 av. J.-C.   *Les Romains*, t. 1
Pompée et Crassus, consuls : 70 av. J.-C.
César passe le Rubicon : 49 av. J.-C.
Assassinat de César : 44 av. J.-C.

Empire romain   Dynastie julio-claudienne

Octave-Auguste : 27 av. J.-C. -14 apr. J.-C.
Tibère : 14-37
Crucifixion du Christ : autour de 30
Caligula : 37-41
Claude : 41-54
• *Néron* : 54-68   *Les Romains*, t. 2

Galba
Othon
Vitellius : 68-69

Dynastie flavienne

Vespasien : 69-79
• *Titus* : 79-81   *Les Romains*, t. 3
Domitien : 81-96
Nerva : 96-98

Dynastie des Antonins

Trajan : 98-117
Hadrien : 117-138
Antonin le Pieux : 138-161
• *Marc Aurèle* : 161-180   *Les Romains*, t. 4
et Lucius Verus : 161-169
Commode : 180-192
Pertinax : 193

Dynastie des Sévères

Septime Sévère : 193-211
Dioclétien : 284-305
Maximien : 286-305 ; 306-310
Galère : 305-311
Constance Ier Chlore : 305-306
Sévère : 306-307
Maximin II Daia : 307-313
Licinius : 307-323

Dynastie constantinienne
• *Constantin Ier* : 306-337   *Les Romains*, t. 5
Crispus César : 317-326
Constantin II : 337-340
Constant Ier : 337-350
Constance II : 337-361
Julien : 361-363
Jovien : 363-364

476 – Fin de l'Empire d'Occident

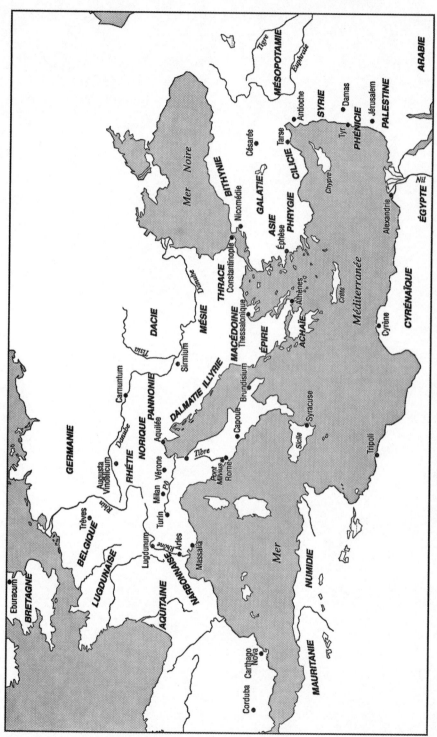

L'Empire de Constantin le Grand

« Galiléen, tu as vaincu ! »

JULIEN, dit l'Apostat

« Il est ridicule et étrange de s'étonner de ce qui arrive dans la vie. Quoi qu'il arrive, cela était proposé dès l'éternité. C'est dans l'entrelacement des causes que, dès l'éternité, a été placée l'existence et ce qui arrive. »

MARC AURÈLE

« Que chacun soit soumis aux puissances régnantes ; car il n'y a pas de puissance qui ne vienne de Dieu. Les puissances qui existent sont ordonnées par Dieu ; en quelque sorte celui qui fait de l'opposition aux puissances résiste à l'ordre établi par Dieu. »

SAINT PAUL

PROLOGUE

1.

Les deux hommes étaient debout, face à face.

L'un, Marcus Salinator, se tenait bras croisés sur le seuil d'une villa aux murs de marbre et aux colonnes de porphyre. Il semblait vouloir en interdire l'accès. Trapu, ses cheveux noirs et bouclés couvrant le haut de son front étroit, il portait un glaive accroché à une large ceinture de cuir dans laquelle étaient incrustées des pièces d'or. Il devait avoir une trentaine d'années.

L'autre, Denys l'Ancien, était un vieillard chauve, grand et maigre. Aux replis de sa tunique blanche on devinait les angles aigus que dessinaient les os de ses épaules et de ses omoplates. Ses yeux étaient enfoncés sous le front haut et bosselé. Il paraissait frêle, mais il y avait tant d'énergie et de détermination dans son attitude, et de fierté dans son regard qu'on l'imaginait capable de repousser la mort pour ne l'accueillir qu'au moment où il aurait décidé de quitter ce monde.

Il a tendu le bras vers Marcus Salinator et a murmuré :

– Toi, Marcus, et moi, Denys, nous avons été les témoins du plus grand changement qu'ait connu l'Empire du genre humain depuis la naissance de Christos.

Il a hoché la tête et souri, dévoilant ainsi des dents acérées :

– Tu le sais, il y a trois cent soixante-quatre années de cela.

Marcus Salinator a eu une moue de mépris tout en haussant les épaules.

Denys l'Ancien s'est retourné et, de son bras toujours tendu, il a décrit le paysage, les vergers au premier plan, la clairière entourée de sept cyprès au bout de l'allée, le triangle noir et écrêté du Vésuve qu'enveloppaient à l'horizon les brumes de ce 27 juillet de l'an 364, et la mer qu'on imaginait plus qu'on ne la voyait.

– Je viens chez toi, a-t-il repris en faisant de nouveau face à Marcus Salinator, parce que Dieu a protégé ta maison et ta famille. Les tiens ont échappé aux proscriptions et aux persécutions. Depuis le jour où Christos a été crucifié, et d'empereur en empereur, ils ont conservé leurs vies et leurs biens. Aucune tempête, aucun tremblement

16

de terre, aucun nuage de cendres brûlantes, aucune peste, aucune horde de soldats pillards ou d'esclaves en révolte n'a dévasté votre maison ni emporté les tiens. Dieu a voulu que votre demeure et votre *gens* soient une arche au milieu du temps qui s'écoule.

Denys l'Ancien s'est avancé. Se balançant d'un pied sur l'autre, Marcus Salinator a hésité puis il s'est écarté pour le laisser passer.

Il a traversé le vestibule, suivi par Marcus, a gagné la cour intérieure et marché lentement sous le portique aux colonnes de porphyre.

– La *gens* Salinator, a-t-il murmuré, est bien une arche. Tu gardes ici une part de la mémoire de l'empire de Rome.

Il a énuméré les noms des ancêtres de Marcus Salinator, ces hommes qui avaient côtoyé César et Crassus, Néron et Sénèque, Vespasien et Titus, Marc Aurèle et Commode, et qui avaient écrit des *Histoires* et des *Annales*[1].

– Je veux tout lire, a-t-il dit.

Il a appuyé son index décharné sur la poitrine de Marcus Salinator et, soulignant chaque mot d'une pression de son ongle, il a ajouté :

_____

1. Sans ces textes, les quatre volumes précédents de la suite romanesque des *Romains* n'auraient pu être rédigés.

– Mais tu as renié Christos ! Toi, Marcus Salinator dont les ancêtres avaient, au temps des persécutions, protégé ses disciples, reçu le baptême, toi, tu as partagé la vie de cet empereur païen, Julien l'Apostat, qui a rétabli le culte des dieux païens et persécuté les chrétiens. Je veux que tu me dises pourquoi tu as rejeté la foi de tes ancêtres, abandonné Christos au moment où l'Empire lui-même devenait chrétien. Tu me raconteras ce que tu as vu aux côtés de Julien l'Apostat, quel démon t'a habité et peut-être te hante encore.

Denys l'Ancien s'est approché de Marcus, le doigt toujours pointé.

– Ne sais-tu pas que Julien est mort en reconnaissant sa défaite, son erreur, et en criant : « Galiléen tu as vaincu ! » ?

D'un geste brusque, Marcus Salinator a soulevé le bras de Denys l'Ancien et repoussé le vieillard, puis, d'une voix rauque, il a répondu :

– Un chrétien, l'un des tiens, Denys, a blessé Julien à mort. Je l'ai veillé. J'ai posé sur son front une éponge imbibée de l'eau du Tigre. Je me suis penché pour écouter les mots qu'il murmurait alors que la nuit était si dense qu'elle étouffait les lampes disposées aux coins de la tente impériale. Il n'a pas prononcé le nom de Christos, il n'a pas parlé de ton Galiléen. Il a dit : « Dieu solaire, *Sol invic-tus*, tu m'as vaincu ! » Julien a régné et est mort fidèle à sa foi de païen.

Le visage de Denys l'Ancien s'est crispé. Sa bouche n'était plus qu'une cicatrice séparant le menton proéminent des joues creusées et de ces pommettes saillantes qui paraissaient près de lui déchirer la peau.

— Un chrétien, l'un de tes frères, de ceux qui prêchent la bonté, l'amour de la vie, l'a tué, a martelé Marcus.

Denys a grimacé.

— Ce bouc se prétendait empereur ! a-t-il lancé.

Sa voix était rageuse, méprisante.

— Ce cuistre de Grec avait renoncé à sa foi, sacrifié devant les idoles, fermé les églises, persécuté les fidèles de Christos !

Denys l'Ancien a tout à coup saisi les poignets de Marcus, les serrant dans ses doigts maigres.

— J'ai accompagné durant toute sa vie l'empereur Constantin le Grand, a-t-il dit. J'ai vu les signes que Christos lui a adressés et qui lui ont donné la foi de vaincre. Il a reconnu la puissance du Dieu unique. Il a voulu, lui, l'empereur unique, que Dieu soit un, que tout l'Empire se rassemble autour d'un seul empereur et d'un seul Dieu. Il a bâti dans chaque cité des églises, des basiliques. Il a fondé la *Nova Roma*, Constantinopolis, sa ville et celle de Christos. Et Julien, cet apostat, a tenté de nier l'œuvre de Constantin, d'en revenir aux idoles païennes !

De sa poitrine Denys l'Ancien est près de heurter celle de Marcus Salinator.

— Je te l'ai dit : toi, Marcus, et moi, Denys, nous avons été les témoins du plus grand changement qu'ait connu l'empire du genre humain depuis la naissance de Christos. Moi, j'ai assisté au baptême du premier empereur païen ; toi, tu as vu mourir Julien l'Apostat, le dernier empereur païen.

Denys l'Ancien a lâché les poignets de Marcus, s'est éloigné de quelques pas, puis s'est immobilisé, mains jointes devant la bouche, les yeux regardant en direction du Vésuve.

— La foi en Christos est un feu bénéfique, a-t-il dit. C'est l'histoire de cet incendie qui a embrasé tout l'Empire que je me dois d'écrire.

Il s'est retourné vers Marcus Salinator.

— J'ai besoin de ta maison, de ton hospitalité, Marcus Salinator. Je souhaite consulter les écrits de tes aïeux et recueillir tes propres souvenirs.

Il a tendu le bras vers Marcus dans un geste à la fois protecteur et menaçant.

– N'oublie pas, le Galiléen, notre Christos, a vaincu !

2.

Pour convaincre Marcus Salinator qui a aimé l'empereur Julien l'Apostat et ne l'a jamais renié, Denys l'Ancien bénéficie de l'autorité et de l'assurance que confèrent l'âge, les épreuves surmontées et la notoriété.

À Constantinopolis, à Rome, à Milan, à Trèves, à Athènes, à Nicomédie, à Antioche, à Césarée de Palestine, à Alexandrie, dans toutes ces villes où Marcus Salinator a lui-même vécu, on admirait Denys l'Ancien, le confident, le conseiller de Constantin le Grand, le chrétien qui, avant même d'être puissant, de vivre au palais impérial, avait connu, au temps de sa jeunesse, les persécutions sans jamais renoncer à sa foi en Christos.

Denys l'Ancien était né en 280 après Christos, au cœur de l'hiver, en janvier, dernier fils d'une famille gauloise de Lugdunum[1] convertie au christianisme.

---

1. Lyon.

On ne connaît d'elle que ce que Denys l'Ancien en a dévoilé.

On sait aussi que la communauté chrétienne de la capitale des Gaules se souvenait du martyre des chrétiens de Lugdunum.

Le légat impérial, Martial Perennis, avait, en 177, sur ordre de Marc Aurèle, fait torturer et livrer aux bêtes fauves, dans l'amphithéâtre au pied de la colline de Fourvière, des dizaines de chrétiens.

Les noms de ces martyrs – Pothin, Blandine, Sanctus, Attale, Alexandre, Ponticus – n'étaient pas oubliés[1].

Chaque année, Denys l'Ancien avait célébré la mémoire de ses frères en Christos dont l'exemple, la fidélité à leur foi, malgré la souffrance et les supplices infligés, avaient fait naître de nouveaux chrétiens.

Ils avaient dû subir durant des décennies de nouvelles persécutions. Denys l'Ancien avait souffert de celles décidées par l'empereur Dioclétien en 303 ; il n'avait alors que vingt-trois ans.

On l'avait emprisonné et torturé.

Mais il avait continué de prêcher dans les cachots, devinant que les bourreaux eux-mêmes

---

1. Voir les Romains tome IV, *Marc Aurèle, le Martyre des Chrétiens.*

24

doutaient, étonnés par ces hommes et ces femmes qui préféraient qu'on brûlât leur chair au fer rouge plutôt que de célébrer le culte de l'empereur, du dieu solaire, *Sol invictus*, ou de Jupiter, et de se renier. Ces cruels soldats vacillaient, ils pressentaient que l'empire qu'ils servaient depuis des lustres, étranglant, égorgeant, mutilant, devrait changer s'il voulait survivre.

Les Barbares, Vandales, Goths, Alamans, Sarmates, Alains et Quades, se pressaient sur les rives du Rhin et du Danube. Aucune victoire n'avait pu venir à bout de ces peuples inépuisables, aucun mur n'avait pu les arrêter.

En Orient, les Perses, souvent vaincus, resurgissaient des espaces immenses de leur empire d'au-delà du Tigre et de l'Euphrate.

Afin de mieux faire face à ces périls, l'empereur Dioclétien avait choisi d'appeler à ses côtés un second auguste, Maximien, qui lui resterait subordonné mais gouvernerait l'Occident tandis que lui-même se réservait l'Orient.

Pour renforcer ce double pouvoir impérial, il avait désigné deux césars, les généraux illyriens Galère et Constance. Le premier était chargé de défendre les terres d'Illyrie, au sud du Danube.

Le second, d'une peau si pâle qu'on l'avait surnommé « Constance Chlore », gouvernerait la Gaule et la Bretagne.

L'Empire était donc désormais un corps à quatre têtes. Mais cette *tétrarchie* était-elle encore un empire ?

Ses ennemis n'avaient pas désarmé.

Barbares et Perses se précipitaient toujours par vagues successives contre les fortifications des frontières.

Les chrétiens refusaient de célébrer les dieux que Rome avait vénérés depuis ses origines. Ils préféraient la mort plutôt que de reconnaître la divinité des empereurs.

Parmi eux, Denys, qui n'était pas encore l'Ancien, prêchait, espérait et priait pour que tous les citoyens de l'Empire devinssent les disciples de Christos, le Dieu unique, le Ressuscité, qui serait le Sauveur de l'empire du genre humain.

Un jour de 280, en cet hiver qui l'avait vu naître à Lugdunum, lui, Denys, connu plus tard sous l'appellation de Denys l'Ancien, naquit aussi Constantin, qui deviendrait l'empereur Constantin le Grand.

Il était issu de l'union d'une servante de Bithynie, Hélène, et du César des Gaules de Bretagne, Constance Chlore.

Constantin avait rencontré Denys et l'avait écouté. Il fut le premier empereur chrétien.

Lorsque Denys l'Ancien se présenta, le 27 juillet 364, à Marcus Salinator, sur le seuil de la villa des Salinator, Constantin le Grand était mort depuis vingt-sept années.

Et Julien l'empereur, qu'on appelait l'Apostat, que Marcus Salinator avait servi et auquel il était encore fidèle, avait disparu l'année précédente, dans la nuit du 26 au 27 juin 363, sur les bords du Tigre, à la frontière perse. En vain il avait essayé d'effacer l'œuvre chrétienne de Constantin.

Pour Denys l'Ancien, il fallait clore cette histoire, et donc l'écrire afin de célébrer la victoire de Christos, le Galiléen, et d'édifier ainsi tous les hommes.

Il était venu chez Marcus Salinator dans ce but.

PREMIÈRE PARTIE

3.

Moi, Denys, que l'on nomme depuis des lustres l'Ancien, je veux raconter comment, dans la courte durée de ma vie, l'empire de Rome, persécuteur des chrétiens, est devenu l'empire du Christ.

La foi en Christos s'est répandue parmi les hommes et ainsi s'est accompli le dessein de Dieu.

Aujourd'hui les empereurs Valentinien et Volens sont chrétiens et sollicitent mes avis sur les affaires de l'Empire.

Ils savent que j'ai été le plus proche conseiller de Constantin le Grand, et que j'étais à ses côtés le jour de son baptême, qui fut aussi le dernier de sa vie terrestre.

Je ne crains plus le retour d'un empereur païen. Julien l'Apostat est mort et n'aura pas de successeur.

J'écris dans la demeure de la *gens* Salinator où

31

Marcus, qui fut l'ami de Julien et ne l'a pas renié, m'a cependant accueilli.

Aurait-il pu me refuser son hospitalité, lui que je protège de tous ceux qui voudraient le juger et le condamner pour avoir tenté, aux côtés de Julien l'Apostat, de rétablir le culte des dieux de Rome ?

Mais cette victoire de Christos ne me grise pas.

Quel chrétien peut-il croire à son triomphe en ce monde, quand tant d'hommes et de nations refusent encore de reconnaître Christos comme le Dieu unique ?

Et je me souviens aussi trop bien de ce qu'ont été les commencements de ma vie pour ne pas oublier que l'homme et le mal marchent souvent du même pas.

Enfant, j'ai erré seul sur les berges du grand fleuve qui longe Lugdunum, la capitale des Gaules.

Je n'étais qu'un peu de chair promise aux crocs des bêtes fauves ou des chiens.

Je savais que la foule païenne traquait les chrétiens.

Elle se jetait sur eux dans les ruelles du quartier de Fourvière, s'ils osaient s'y aventurer.

Elle les forçait à s'agenouiller devant les statues d'Auguste, de Cybèle ou de Jupiter.

Elle enfonçait les portes des maisons chrétiennes.

Elle avait dévasté la nôtre, et, avant de m'enfuir, j'avais vu ces hommes et ces femmes enragés entraîner mon père, ma mère, mes sœurs, et les livrer aux soldats.

Je ne connaissais pas le nom de l'empereur qu'ils servaient.

Était-ce Carin ou Numérien, Carus, Probus ou Florien ?

L'un de ceux-là avait-il régné quelques jours ou quelques années ? À la suite de quels crimes, de quels complots avaient-ils été portés au pouvoir ou chassés du trône ?

Je l'ignorais.

Je savais seulement que les soldats imposaient leur candidat à la tête d'un empire qui n'était plus qu'une tunique déchirée dont les ambitieux se disputaient les pans.

— Dieu punit l'Empire pour les souffrances qu'il nous inflige, pour le martyre de tant de nos frères et sœurs, ajoutait mon père.

Il réunissait la nuit les fidèles de Christos qui composaient la communauté chrétienne, et tous priaient pour Pothin et Blandine, Attale et Sanctus, Alexandre et Ponticus, d'autres encore qui avaient été suppliciés au temps de Marc Aurèle.

Mais, depuis lors, qui aurait pu citer le nom d'un grand empereur ?

Marc Aurèle avait frappé les chrétiens, croyant sans doute renforcer l'Empire, alors qu'il l'avait affaibli comme un corps dont le sang s'écoule par les veines entaillées.

L'Empire se morcelait, chancelait. Près de quarante tyrans s'étaient succédé après Marc Aurèle, continuant presque tous à persécuter les chrétiens, ouvrant ainsi de nouvelles hémorragies, saignant l'Empire.

– Il nous frappe ? Il se tue.

C'est l'une des dernières paroles que mon père prononça avant d'être entraîné par les soldats.

On l'avait livré, ainsi que ma mère et mes sœurs, à des bourreaux dont la cruauté était plus perverse que la férocité des lions et la fureur des taureaux.

Puis on les avait poussés dans l'arène et j'avais entendu les hurlements de la plèbe qui excitait les bêtes fauves, trépignait d'impatience parce que ces animaux féroces se contentaient de flairer les corps meurtris, s'en détournaient, repus, indifférents à cette chair ensanglantée.

J'ai su qu'il avait fallu que des soldats achèvent mes parents d'un coup de lame.

Puis ce qui restait de leurs corps avait été brûlé, et les cendres dispersées dans l'eau noire du fleuve que le vent venu des Alpes creusait et soulevait en courtes vagues couronnées d'écume.

J'avais plusieurs fois désiré partager la souffrance des miens, connaître la joie de la fidélité, de la résurrection et de la vie éternelle.

J'avais marché vers l'amphithéâtre, mais, alors que je m'apprêtais à clamer devant des soldats ma foi en Christos, des mains m'avaient agrippé, fermé la bouche, porté jusqu'à l'une de ces masures des faubourgs de Lugdunum.

Là vivaient des chrétiens venus des provinces de Bithynie, d'Asie, de Phrygie, de Syrie. Ils m'ont dit qu'à l'orient de l'Empire, depuis la crucifixion et la résurrection, la parole de Christos, la foi en lui avaient été semées et avaient germé. Des graines s'étaient enracinées en Occident et les martyrs chrétiens de Lugdunum étaient les épis mûrs de cette semence.

Ma famille était en effet l'une des seules, parmi les chrétiennes, à être d'origine gauloise.

J'ai prié avec ces frères et sœurs d'Orient.

Ils m'ont convaincu qu'un chrétien ne choisit pas l'heure de sa mort. Il s'en remet à la volonté de Dieu. Il ne la fuit pas, mais ne la provoque pas.

35

Il doit, avant d'offrir sa mort au Tout-Puissant, Le servir en Lui vouant sa vie.

Je n'ai donc pas rejoint les miens dans l'arène.

Mais, souvent, je me suis agenouillé au bord du fleuve, enfonçant mes mains dans le sable gris et froid.

J'en recueillais une poignée dans mes paumes. Je portais ce sable à mes lèvres, le laissais s'écouler entre mes doigts.

Couleur de cendre, il était la chair et l'âme des miens.

Puis je priais pour que l'exemple de leur sacrifice m'inspirât et me guidât jusqu'au jour où Christos enfin m'appellerait à lui.

4.

J'ai connu plusieurs vies avant ma propre vie.

Mon père et les plus anciens des chrétiens m'ont guidé en ces temps qui précédèrent ma naissance.

Les noms des martyrs d'alors me sont devenus familiers.

Il me semble que j'ai connu Pothin et Blandine et les autres suppliciés de Lugdunum. J'étais dans ces autres villes de Gaule, Clermont et Mende, où l'on torturait Cassius, Victorin et Privat. Je fermais les yeux après avoir écrit le nom de Fructuosus, brûlé vif à Tarragone, ou celui de Cyprien, décapité à Carthage.

Ma main tremble avant de tracer le nombre 300, car j'ai vu chacun de ces trois cents chrétiens précipités dans la chaux vive à Utique.

Les voix de mon père et des anciens envahissent ma tête comme si j'étais assis devant eux à les écouter me parler de ces empereurs Dèce,

Gallus et Valérien qui avaient, par leurs édits, condamné les chrétiens à se renier ou à mourir.

J'en ai tremblé de colère et d'émotion.

Ma main a hésité à écrire, à montrer les supplices, à évoquer les souffrances, la joie d'être fidèle à Christos, mais aussi le soulagement que je devinais chez beaucoup de chrétiens à renoncer, à devenir apostats pour conserver leur pauvre vie.

Je me souviens de Petros.

Il parlait lentement comme pour me laisser le temps de graver en moi chacun des mots, des noms qu'il prononçait, des scènes qu'il décrivait.

C'était un chrétien d'Alexandrie dont les jambes avaient été tranchées au-dessus du genou. Il n'était plus qu'un tronc qui réussissait cependant à se déplacer, se balançant d'avant en arrière, prenant appui sur les mains, les muscles des bras si gonflés, leurs veines saillantes et bleues, qu'ils paraissaient sur le point d'éclater.

Il était vieux, mais son visage demeurait lisse, apaisé. Il avait été courrier impérial, sillonnant les provinces d'Orient, se rendant souvent à Rome, admis dans les palais, apportant les dépêches des légats à l'empereur et les réponses que leur faisait ce dernier.

– J'étais le messager de la mort ou de la vie, m'avait-il résumé.

Puis il s'était redressé comme pour me donner à imaginer le corps juvénile qui avait été le sien.

– J'étais plus fougueux que mon cheval ! avait-il ajouté en souriant.

Petros m'avait parlé de Philippe l'Arabe, un empereur à la peau sombre, aux gestes alanguis, à la voix suave.

– Il marchait vers Christos, avait murmuré Petros. Son épouse Marcia Severa lui assurait que les chrétiens n'étaient pas des impies aux mœurs corrompues, aux rites cruels.

L'empereur avait souhaité participer à une veillée de prières et c'était Petros qui l'avait conduit jusqu'à cette assemblée de fidèles réunis au bord du Tibre, en aval de Rome.

L'empereur avait écouté, le visage grave, comme un pénitent, les actions de grâces qui s'élevaient en ce jour qui avait vu la résurrection de Christos. Il avait été ému par la ferveur et la fraternité qui unissaient les chrétiens. Petros avait cru que Philippe l'Arabe allait renoncer aux dieux païens, solliciter le baptême, être le premier empereur chrétien.

J'ai imaginé son espérance.

Plusieurs fois au cours de ma vie, ou bien dans ces vies antérieures que je parcourais, j'ai imaginé moi aussi que le moment était venu, que nous avions montré à Dieu que nous étions prêts à recevoir ce don : l'Empire en héritage.

J'avais été comme un enfant qui tend les mains, croyant saisir le présent qu'on lui offre mais qui, tout à coup, se dérobe. Les mains restent vides. Il faut attendre encore.

Telle fut ma vie, et celle de Petros.

Il avait baissé la tête, semblant fixer les plis de sa tunique qui dissimulaient ses moignons.

Retourné à Alexandrie, m'avait-il raconté, il avait retrouvé une ville en furie. Les prêtres égyptiens sortaient des temples, appelant à la vengeance, au massacre des chrétiens. Ils les accusaient d'être responsables de leur impiété, des malheurs qui frappaient l'Empire. Car les Goths, les Vandales, les Carpes, les Perses tentaient à nouveau de franchir le Danube et le Tigre. Ils attaquaient les garnisons, mettaient les villes à sac, massacraient. Et la peste, venue avec eux, commençait à se répandre des fleuves frontaliers jusqu'au Nil, au Rhône, au Tibre.

— Les païens, avait repris Petros, se sont précipités sur les maisons des chrétiens qu'ils ont pillées, exigeant que chacun d'entre nous sacrifie devant les dieux de Rome et la statue de l'empereur. Beaucoup ont accepté. J'ai refusé. On m'a frappé. On m'a brisé les jambes, on a entaillé mes cuisses à coups de glaive. J'ai vu autour de moi la foule païenne rire, hurler, demander qu'on me sectionne aussi les bras. Puis des chrétiens se sont avancés et la foule, distraite, s'est jetée sur eux. Ils ont été ensevelis sous les corps de leurs assaillants, démembrés, abandonnés aux chiens errants. On m'a oublié. Christos a retenu la mort par sa tunique et m'a laissé en ce monde pour te rencontrer, Denys, te raconter afin que tu puisses écrire notre histoire.

Petros a été mon témoin, mon regard sur ces temps lointains.

Il s'interrompait souvent, sautillant sur ses mains, s'immobilisant tout à coup, ses moignons à peine soulevés de terre, les muscles de ses bras tendus et gonflés.

Il me disait que le règne de Philippe l'Arabe avait été si bref que, parfois, il venait même à douter qu'il ait eu lieu. Ç'avait été comme une brève éclaircie dans un ciel noir.

Philippe l'Arabe avait exigé qu'on libérât les chrétiens emprisonnés. Il avait refusé de croire les délateurs qui prétendaient qu'ils s'abreuvaient et se repaissaient du sang et de la chair d'enfants égorgés. Mais la plèbe prêtait l'oreille à ces rumeurs. Elle exigeait le châtiment, les supplices, la mort, imaginant qu'ainsi s'éloigneraient les menaces et se tarirait la peste.

Et les empereurs Dèce, Gallus, Valérien, qui se sont succédé, étaient aussi païens que la plèbe. Eux aussi croyaient satisfaire et apaiser les dieux de Rome en livrant les chrétiens aux bêtes. Ils ordonnaient que chaque habitant de l'Empire brûlât de l'encens, offrît du vin ou le sacrifice d'un animal aux divinités protectrices. Et ceux qui s'y refusaient devaient être dépouillés de leurs biens, exilés ou réduits en esclavage, torturés toujours, tués souvent.

Quant à la plèbe qui acclamait les bourreaux, elle réclamait plus de cruauté encore.

En ces temps-là, il fallait une foi brûlante pour croire qu'un jour un empereur recevrait le baptême et protégerait les chrétiens, construisant pour eux des églises, honorant et écoutant leurs évêques. Aujourd'hui que règnent des empereurs chrétiens, que Julien l'Apostat n'est plus qu'un corps mort, il est aisé de dire que Christos voulait que la foi en lui irrigue tout l'Empire.

Maintenant qu'on me nomme Denys l'Ancien, j'ai compris qu'il voulait seulement que nous le voulions, qu'il nous mettait à l'épreuve, au défi de le vouloir encore, malgré persécutions et tentations. Que tout dépendait de nous, que rien n'était sûr, que l'Empire eût pu demeurer païen si nous n'avions accepté de souffrir pour lui rester fidèles.

Petros avait prié longuement avant de reprendre son récit.

Il avait essayé, m'expliquait-il, de retenir les chrétiens qui s'apprêtaient à sacrifier devant les statues païennes.

Il leur avait rappelé que Christos était le Dieu de la résurrection, qu'il offrait la vie éternelle, que la souffrance et la mort n'étaient que des voies de passage vers la paix et la félicité.

Mais il avait vu tant de chrétiens se renier, devenir apostats, prêter serment de fidélité à l'empereur et aux dieux de Rome, sauver ainsi leur vie et leurs biens, qu'il avait craint que ne s'effaçât à jamais la trace de Christos.

— J'ai douté. Je m'en repens, mais j'ai douté, avait-il murmuré.

La plèbe ne s'était pas souciée de cet infirme qui allait bondissant et glapissant qu'il fallait croire en Christos, le criant d'une voix d'autant plus forte et plus aiguë que l'angoisse et l'incertitude l'étreignaient.

Parfois on le rouait de coups, on le culbutait, on le lapidait, on le couvrait de crachats, mais on s'abstenait de le tuer comme si on avait soupçonné que ce chrétien espérait la mort à l'instar d'une délivrance. On la lui refusait, le laissant traîner sa vie mutilée.

– Ce fut une longue et forte tempête qui fit chanceler, déracina et emporta loin de nous beaucoup de ceux qui avait clamé qu'ils croyaient en Christos. Les apostats furent plus nombreux que les martyrs fidèles à leur foi. Je te le dis, Denys : le temps des empereurs Dèce, Gallus et Valérien fut celui de ma plus cruelle souffrance. Christos m'a laissé en vie, mais j'ai vu nos communautés s'affaiblir et souvent mourir. Quand je rencontrais ceux qui avaient renié notre Dieu, ils détournaient la tête, s'enfuyaient à grands pas. Je n'étais qu'un cul-de-jatte sautillant sur ses mains !

« La persécution s'était étendue à tout l'Empire. Les empereurs croyaient, en nous frappant, forger l'unité de l'Empire afin de pouvoir brandir le glaive face aux barbares. Alors les cachots se remplissaient de chrétiens qu'on laissait mourir de faim et de soif. Le sang teintait à nouveau de rouge le sable des arènes.

« Et, pour sauver leur vie terrestre, maints chrétiens renonçaient à leur foi.

Petros avait pris sa tête à deux mains et prié. Il s'était interrogé : il avait été de ceux qui avaient refusé que les apostats pussent un jour être à nouveau accueillis parmi les chrétiens.

— Christos pardonne, lui avais-je objecté.

Petros s'était penché en avant et, s'appuyant sur ses paumes, s'était soulevé.

— Je crois en Christos, avait-il murmuré, mais je ne suis qu'un homme qui se souvient de ceux qui ont trahi leur foi.

5.

J'avais répondu à Petros :

– Dieu sait aussi ne pas pardonner. Quand il le faut, quand Il veut punir le Mal, Il frappe du talon et écrase la tête du serpent.

J'avais énuméré le nom de ces empereurs – Herennius, Hostilien, Trébonien, Volusien, Émilien –, tous persécuteurs, païens haineux, que la mort frappait après qu'ils avaient régné quelques jours. Des assassins écartaient les tentures, se glissaient dans l'ombre des colonnes, plantaient leur poignard à la base du cou, et le tyran égorgé s'affaissait, son sang séchant sur le marbre.

– Dieu, avais-je dit, veut montrer qu'on ne peut gouverner l'Empire contre Christos. Il veut que les païens comprennent que seul un prince qui reconnaîtrait aux disciples de Christos le droit de prier leur Dieu, de célébrer leur culte, pourrait rester à la tête de l'empire du genre humain. Il ne sert à rien de régner à deux ou à quatre, de se partager l'Empire, à l'un l'Occident, à l'autre l'Orient. On ne peut régner qu'en reconnaissant la toute-puissance de Christos !

J'avais rappelé à Petros quel avait été le sort de Valérien, cet homme qui, déjà vieux, avait appelé près de lui comme autre empereur, chargé de gouverner l'Occident, son fils Gallien.

– Souviens-toi de Valérien, Petros...

Petros avait geint comme si une ancienne blessure s'était rouverte.

Il avait évoqué à mi-voix les décrets pris par Valérien pour extirper le christianisme de l'Empire. Les évêques, les prêtres, les diacres avaient été suppliciés, les sénateurs et les chevaliers chrétiens avaient vu leurs biens confisqués, on les avait chassés de leurs charges, exilés, les matrones avaient été elles aussi dépouillées et on avait traqué les chrétiens qui étaient employés dans les domaines et les palais impériaux. Le grand prêtre chrétien de Rome, Sixte, qu'on appelait le pape, avait été exécuté.

– Tant de nos frères et de nos sœurs, d'hommes et de femmes de foi, avait ajouté Petros, ont souffert que j'ai pensé que Dieu nous avait abandonnés, qu'Il avait détourné les yeux alors qu'on nous martyrisait, peut-être pour nous punir de ne pas avoir su rassembler autour de Lui la foule des païens. Nous n'avions pas réussi à la convertir. C'étaient au contraire les chrétiens qui recommençaient à célébrer les cultes païens.

– Souviens-toi de Valérien, Petros..., avais-je répété.

En associant son fils Gallien au pouvoir, l'empereur avait cru défendre victorieusement l'Empire.

Mais les Francs, les Alamans, les Goths, les Perses dévastaient les provinces proches du Danube et celles d'Orient. La peste rongeait les légions. Et voici qu'un jour – une date dans l'histoire de l'Empire – l'empereur était tombé aux mains des Perses.

Oui, voici l'empereur du genre humain, le persécuteur des chrétiens, le païen, réduit à la condition d'esclave, contraint, comme les soldats prisonniers, de charrier des pierres, du sable, des madriers pour construire la grande digue que les Perses voulaient élever afin de protéger leur propre empire des divagations des fleuves.

– C'est le châtiment, avais-je martelé. Dieu n'oublie pas ! Dieu montre que l'empereur persécuteur de chrétiens ne peut vaincre. Il meurt.

Le corps de Valérien avait été aussi indignement traité que l'avaient été, sur son ordre, ceux des chrétiens martyrisés.

On l'empailla. On le teignit en rouge. On le suspendit au plafond d'un temple. Aucune résurrection ne pourrait ranimer cette défroque païenne.

Petros avait reconnu que le sort de Valérien avait dessillé les yeux du fils, son successeur.

Gallien, devenu seul empereur, avait rendu leurs biens aux chrétiens, admis qu'ils célébrassent leurs cultes dans leurs églises, respectées comme l'étaient les temples païens.

Était-ce enfin la naissance de l'Empire chrétien ?

J'ai rencontré Eusèbe, évêque de Césarée. Il a été mon maître et m'a donné à lire, au fur et à mesure qu'il l'écrivait, l'histoire de ces années-là.

Sa voix, ses phrases étaient pleines de cette certitude que c'en était fini des persécutions. Il était soulevé par l'espérance que les citoyens de Rome, l'homme de la plèbe comme l'empereur, allaient reconnaître Christos.

Je l'ai écouté, fasciné par la détermination et la foi de ce chrétien qui était mon aîné d'une vingtaine d'années.

– J'ai cru en l'empereur, me dit-il.

Gallien avait promulgué un édit de tolérance.

Il honorait les évêques qu'il traitait comme ses représentants. Il désignait comme légats impériaux des chrétiens. On en rencontrait parmi les magistrats, les serviteurs du palais impérial. On n'exigeait plus qu'ils célébrassent les dieux païens ou le culte de l'empereur.

— J'ai répété à l'empereur, m'a confié Eusèbe, les propos de Paul de Tarse. Le disciple de Christos n'avait-il pas dit : « Que chacun soit soumis aux puissances régnantes, car il n'y a pas de puissance qui ne vienne de Dieu. Les puissances qui existent sont ordonnées par Dieu ; en quelque sorte, celui qui fait de l'opposition aux puissances résiste à l'ordre établi par Dieu » ?

Dans chaque ville de l'Empire, on construisait de vastes églises dans lesquelles se pressaient les convertis, de plus en plus nombreux.

— L'empereur découvrait que nous étions, nous chrétiens, ceux autour desquels pouvait se réunifier l'Empire que les ambitions, les complots, les peuples barbares menaçaient.

J'ai interrompu Eusèbe. Je l'ai interrogé sur les croyances de Gallien, sur celles de son successeur Aurélien. Eusèbe est resté longtemps silencieux.

— Païens, a-t-il enfin murmuré.

Le chemin qui conduisait à l'Empire chrétien était donc encore long.

– Pourquoi, m'a demandé Petros, Dieu n'est-Il pas tout-puissant ?

– C'est aux hommes de Le convaincre que l'heure est venue, mais elle ne l'est pas encore.

Je me souviens de la voix étouffée d'Eusèbe lorsqu'il me raconta comment il avait découvert que l'empereur Aurélien, successeur de Gallien, non seulement n'avait pas renoncé à sacrifier aux dieux païens, mais avait ordonné qu'on célébrât partout un nouveau culte à un dieu qui dominerait tous les autres, un dieu solaire, celui du Soleil invaincu – *Sol invictus* –, que priaient déjà les soldats des légions.

L'empereur était l'incarnation du Soleil. Il était né dieu et maître. Il représentait sur terre le *Sol invictus*.

– C'était une manière de nous imiter, a souligné Eusèbe, de tenter ainsi de se nourrir de notre religion en reconnaissant un dieu païen mais unique, dont tout citoyen de Rome devait pratiquer le culte. S'il reconnaissait *Sol invictus*, de cette façon, il vénérait l'empereur qui en était issu.

La perspective d'un Empire chrétien s'éloignait.

Les hommes devaient désormais choisir entre *Sol invictus* et Christos.

L'espoir demeurait qu'un jour Christos l'emporterait.

Mais il fallait souffrir encore.

6.

Alors commença la grande persécution, et tant de vies furent emportées par cette tempête de mort que ma voix ne pourra jamais être assez forte pour donner à entendre la souffrance des martyrs.

Pourtant, rien d'abord n'avait paru changer.

Les empereurs se succédaient et l'on avait à peine appris le nom de celui qui s'était enveloppé dans le manteau de pourpre qu'on annonçait qu'il avait été tué.

Après Aurélien, il y eut ainsi Tacite, Florien, Probus, Carus, Carin, Numérien.

Qui se souciait de ces règnes de quelques jours ?

– Ils nous laissaient prier et fréquenter nos églises, m'avait rapporté Petros. Ils n'exigeaient pas que nous adorions ce *Sol invictus* devant lequel les païens déposaient de plus en plus d'offrandes. Nous détournions la tête en passant

devant les temples, et nul ne semblait plus se soucier de nous. Mais moi qui me traînais à ras de
terre, auquel on ne prêtait guère attention, j'entendais les menaces que la plèbe proférait à mi-voix
à proximité des temples de Jupiter, d'Hercule, de
Sol invictus. Nous étions les impies qui irritions
les dieux. Et ceux-ci se vengeaient des empereurs
qui toléraient notre impiété, qui nous accueillaient en leurs palais, qui acceptaient que nous
devenions légats, magistrats, tribuns. J'écoutais
ces murmures : c'était comme un grondement
lointain quand le ciel est encore bleu mais que
l'horizon s'obscurcit.

Je suis né en ce temps-là, quand une barre
noire, au loin, annonce la bourrasque.

Dioclétien devint empereur.

Des hommes qui l'ont servi m'ont relaté que
ce fils d'esclaves, ce commandant des *protec-
tores*, fit tuer l'assassin de l'empereur Numérien
et fut élu par ses troupes pour lui succéder.

Il vivait alors à Nicomédie, dans la province de
Bithynie, en cet Orient où Christos comptait tant
de fidèles, mais ou proliféraient les dieux païens.

On assure que Dioclétien eut pour épouse
une chrétienne, Prisca, qui lui donna une fille,
Valeria, mais qu'il exigea d'elles qu'elles sacri-

56

fient aux dieux païens car il craignait qu'elles ne fussent disciples de Christos.

Cet homme soupçonneux, grand, au visage étroit qu'une fine barbe assombrissait, aux yeux pénétrants, fut le Grand Persécuteur.

Il déclara :

« Je suis l'égal de Jupiter, l'empereur dieu des dieux, qui est aussi *Sol invictus*.

« Que devant moi chacun s'agenouille comme on fait devant la statue de Jupiter !

« Qu'on prenne le bord de mon manteau pourpre et qu'on l'embrasse en signe de soumission et d'adoration ! »

On apprit qu'il avait décidé de partager le pouvoir impérial avec un second auguste, Maximien, qui lui serait subordonné comme Hercule l'est à son père Jupiter. Et chacun d'eux, Jupiter-Dioclétien et Hercule-Maximien, serait secondé par des césars : Constance Chlore serait le césar de Maximien et Galère celui de Dioclétien.

– Nous sentions que les temps changeaient, avait poursuivi Petros.

Les chrétiens, s'ils voulaient entrer ou demeurer dans l'armée, devaient abjurer ; sinon, ils étaient refoulés ou chassés, et souvent exécutés.

Dans les camps des légions, on célébrait le culte de *Sol invictus* et aucun soldat ne pouvait s'y dérober.

On vénérait Mithra, la toute-puissante divinité d'Orient à laquelle on sacrifiait un taureau noir. Le sang qui jaillissait de sa gorge tranchée inondait, comme pour un baptême, les hommes assemblés dans une fosse, au-dessous de l'animal, et leur procurait un surcroît de virilité.

Partout dans l'Empire ces païens exaltés recommençaient à lapider, à dénoncer, à traquer les chrétiens.

Ils invoquaient Jupiter et Hercule, Mithra et *Sol invictus*, les dieux sombres des montagnes d'Illyrie, de ces régions du sud du Danube dont étaient originaires les empereurs Dioclétien et Maximien, et leurs césars, Galère et Constance Chlore.

Le pouvoir avait désormais quatre visages qu'unissait la même volonté de ranimer le culte des dieux païens afin que l'Empire recouvre sa force, comme s'il avait été aspergé tout entier par le sang d'un taureau sacrifié.

J'étais enfant, à Lugdunum, alors que cette tétrarchie gouvernait l'Empire.

J'ai vu les miens persécutés.

D'autres chrétiens, à Trèves et à Milan, en

Gaule, en Bretagne, en Afrique, eurent le corps brisé par la poigne de Maximien et de Constance Chlore.

« Honore Maximien-Hercule, ou bien subis les supplices, leur criait-on. Abjure ou meurs ! »

Mais c'était le même chantage que Dioclétien-Jupiter et Galère exerçaient sur les chrétiens d'Orient, ceux d'Égypte, de Syrie ou d'Illyrie, à Antioche ou à Nicomédie.

Et la persécution, comme une épidémie de peste à ses commencements, se répandait sournoisement dans tout l'Empire, à l'Orient comme à l'Occident, avant même que Dioclétien-Jupiter eût promulgué les édits obligeant tout citoyen romain à honorer les dieux païens.

Une fois encore un empereur imaginait qu'il devait, pour sauver l'Empire, l'épurer du sang chrétien.

Peut-être Dioclétien a-t-il hésité, peut-être Dieu a-t-il semé le doute en lui pour le contraindre à choisir, après réflexion, pour lui offrir une dernière chance, pour ne lui laisser aucune excuse quand, plus tard, il serait jugé.

L'empereur séjournait à Antioche.

Il allait et venait dans la cour du palais impérial.

Il avait décidé d'offrir à Jupiter et à *Sol invictus* des sacrifices et l'on avait égorgé un taureau et des moutons. Puis Dioclétien avait demandé à Tagès, celui qui savait lire dans les entrailles des animaux, de révéler les signes que les boyaux, en s'entrelaçant comme des serpents visqueux, dessinaient, préfigurant l'avenir.

Mais Tagès, le chef des haruspices, après être resté longtemps penché sur les cadavres ouverts, s'était redressé, annonçant que les dieux étaient restés silencieux, que les entrailles n'avaient dévoilé aucun de leurs desseins.

Tagès avait tendu le bras vers la foule qui se pressait autour de Dioclétien et dit que les dieux avaient été irrités par la présence, dans la cour, d'impies qui s'étaient signés conformément aux rites de la secte chrétienne.

C'est pour cela que les dieux s'étaient tus.

Dioclétien s'était avancé jusqu'au milieu de la cour et, se plaçant près de Tagès, d'une voix que la colère emportait, il avait exigé que tous les habitants du palais sacrifient à l'instant même aux dieux de Rome, que chacun vienne, comme il le devait, s'agenouiller devant lui, empereur-Jupiter, et baise le bas de son manteau pourpre.

– Que l'on fouette ceux qui s'y refusent, avait-il martelé, jusqu'à ce que leur corps soit inondé de sang !

Le jour même, l'empereur Dioclétien avait quitté Antioche pour Nicomédie, dans la province de Bithynie.

Le ciel était noir. Le vent soufflait en tempête, pliant les arbres, couchant les herbes, soulevant des tourbillons de sable et jetant des vagues furieuses contre les côtes de toutes les provinces de l'Empire.

7.

Je vivais à Nicomédie quand la mortelle tempête s'est déchaînée.

J'avais à peine vingt ans et habitais dans l'aile du palais impérial qui était réservée à Constantin, fils du césar Constance Chlore qui gouvernait, sous l'autorité de l'empereur d'Occident, Maximien, la Gaule et la Bretagne. Mais Constantin résidait auprès de Dioclétien à Nicomédie, choyé et surveillé comme peut l'être un otage de prix servant de caution à la fidélité de Constance Chlore.

J'avais rencontré Constantin lors de son passage à Lugdunum.

C'était un homme vigoureux, de taille moyenne, aux épaules larges et à la nuque épaisse. Ce « Gros Cou », ainsi qu'on le surnommait – manière de dire qu'il était obstiné comme ces taureaux à large encolure qui ne renoncent jamais à charger –, n'avait que deux ou trois années de plus que moi.

Peut-être l'avais-je séduit par l'agilité avec

laquelle j'avais traduit des textes grecs en latin. Il n'était en effet que médiocrement lettré, d'un esprit vif qui saisissait les nuances mais dont on devinait qu'il n'avait jamais suivi les enseignements des rhéteurs et des philosophes.

Il m'avait proposé de l'accompagner à Nicomédie, et, à mi-voix, comme s'il avait craint d'être entendu, il m'avait confié qu'il ne songeait pas à passer toute sa vie dans cette ville auprès de l'empereur Dioclétien. Un jour, il rejoindrait son père en Gaule ou en Bretagne. Je compris qu'il espérait voir son géniteur devenir auguste à la place de l'empereur Maximien, lui-même accédant alors au titre et à la gloire de césar.

J'avais hésité à accepter sa proposition.

Je l'avais observé durant les quelques jours qu'il avait passés à Lugdunum.

Il avait le teint rougeaud, les cheveux clairsemés qu'il plaquait en longues mèches destinées à masquer sa calvitie. Sa barbe était rare, elle semblait n'avoir jamais recouvert qu'une partie de ses joues. Le plus souvent, au reste, il se rasait. Il était avenant, serein, et ses yeux immenses m'avaient fixé avec sympathie. En même temps, son nez busqué, son menton accentué donnaient une impression d'autorité, de force et de détermination.

Il m'avait questionné avec amitié sur ma foi en Christos, que je ne lui avais pas celée.

J'avais commencé par lui répondre avec prudence, mais, peu à peu, je m'étais enflammé, j'avais dénoncé les persécutions passées, le martyre, sur ordre de Marc Aurèle, à Lugdunum, de ces chrétiens dont je lui avais cité les noms : Pothin, Blandine, Attale, Alexandre, Ponticus, Sanctus...

Je m'étais inquiété des menaces qu'à nouveau on sentait peser sur les leurs.

Je me souviens qu'il avait posé la main sur mon épaule.

– Pas moi, avait-il murmuré.

Et je crois que ce sont ces deux petits mots qui m'avaient décidé à le suivre à Nicomédie, à vivre ainsi dans l'entourage de Dioclétien.

Là, j'avais découvert que de nombreux dignitaires, des serviteurs, le grand chambellan Dorothée étaient chrétiens.

Tout en exprimant leur dévouement à Dioclétien, en approuvant sa volonté de remettre de l'ordre dans l'Empire et de gouverner avec l'aide de Maximien, de Constance Chlore et de Galère, ils ne sacrifiaient pas aux dieux païens, refusaient de célébrer le culte de Jupiter, d'Hercule ou de *Sol invictus*.

Ils me confiaient que Dioclétien avait exigé de son épouse Prisca et de sa fille Valeria qu'elles reconnussent ces dieux païens. L'empereur craignait qu'elles ne reçoivent le baptême ou n'aient été déjà ondoyées.

Les chrétiens du palais étaient confiants, sûrs qu'un jour la foi en Christos deviendrait celle de tout l'Empire.

Puis la tempête de mort s'est mise à souffler.

J'ai vu Constantin, le visage grave, et quand je l'ai interrogé sur les longues réunions du Conseil impérial qui, autour de Dioclétien, rassemblaient des dignitaires, des légats et le césar Galère dont on savait qu'il était le plus acharné à dénoncer les impies – ces chrétiens dont, disait-il, le refus de sacrifier aux dieux païens attirait sur l'Empire la vengeance de Jupiter, d'Hercule et de toutes les divinités –, il a rougi. L'émotion souvent empourprait ainsi son visage.

J'ai appris peu après que Dioclétien avait envoyé un prêtre devin dans un temple dédié à *Sol invictus* afin de recueillir les intentions de la divinité quant à l'attitude à prendre vis-à-vis de la religion de Christos.

Et Constantin me confia que la réponse du dieu était celle d'un ennemi de Christos.

J'ai compris que la persécution allait reprendre et s'abattre sur nous.

Le lendemain du retour du devin – c'était le 23 février de l'an 303 après la naissance de Christos –, les portes de l'église chrétienne de Nicomédie furent enfoncées, les livres saints saisis et brûlés, le sanctuaire entièrement détruit.

Les édits alors se succédèrent, affichés dans le palais impérial, proclamant qu'il fallait raser toutes les églises chrétiennes et jeter les Écritures au feu, puis mettre aux fers les chefs de ces églises en tous lieux. Ordre était donné aux gouverneurs et aux légats d'exiger de tous, dans chaque ville, de sacrifier et de faire des offrandes d'encens et de vin aux statues des dieux païens. Ceux qui s'y refuseraient seraient emprisonnés, suppliciés, livrés aux bêtes ou aux flammes, égorgés.

Combien de milliers de frères et de sœurs en Christos ont alors connu le martyre ?

Combien de milliers d'autres ont, parce que la peur avait annihilé leur âme, renié leur foi, quitté leurs églises, devenant des *lapsi* (des déserteurs), des apostats qui erraient, ayant sauvé leur peau et perdu leur vie ?

J'ai dit à Constantin que j'allais clamer ma foi, offrir mon corps aux supplices.

Son visage s'est de nouveau empourpré. Il a rentré la tête dans les épaules, paraissant ainsi encore plus massif qu'il n'était. Il m'a fixé de ses yeux qui m'ont semblé énormes.

— Ta souffrance et ta mort n'apporteront rien à ton Dieu ni aux chrétiens qui partagent ta foi, a-t-il dit.

J'ai protesté, réaffirmé mes intentions. J'ai parlé avec l'exaltation d'un homme dont la parole est soulevée par la foi et la certitude de la résurrection.

Constantin m'a écrasé les épaules de ses deux lourdes mains, enfonçant ses doigts dans ma chair.

J'étais si surpris que je n'ai pas cherché à me dégager.

— Qu'on l'enferme dans sa chambre ! a-t-il lancé aux soldats qui veillaient à l'entrée de la grand-salle où il avait l'habitude de se tenir et de recevoir ses visiteurs.

Parfois, Dioclétien y survenait à l'improviste, comme pour s'assurer que son otage était bien présent, bien gardé.

On m'a entraîné, poussé dans ma chambre, et j'ai entendu le pas des sentinelles placées devant ma porte.

Ainsi j'ai survécu.

Plus tard, j'ai appris ce que la tempête de mort, la Grande Persécution avait provoqué.

Au palais impérial, à quelques pas de la chambre où je me trouvais enfermé, l'un des chrétiens que je connaissais – Pierre – avait arraché les édits qui avaient été placardés. On l'avait surpris et aussitôt mis à mort.

Le grand chambellan Dorothée et d'autres serviteurs, chrétiens comme lui, avaient été torturés pour qu'ils abjurent leur foi. Ils avaient subi sans pousser un cri les supplices les plus effroyables, et leurs corps lacérés avaient été dépecés, réduits en cendres.

On avait arrêté l'évêque de Nicomédie et la plupart des fidèles. Accusés d'avoir voulu mettre le feu au palais impérial, on les avait livrés à leur tour aux bourreaux.

Dans toutes les provinces d'Orient, les martyrs se comptaient par milliers. En Syrie, des chrétiens s'étaient soulevés, avaient tenté de résister – en vain. On les avait jetés dans l'arène au milieu des bêtes féroces qui s'étaient repues de leur chair.

La tempête faisait rage, arrachant les plus faibles à leur foi. Ceux-ci se précipitaient dans les temples païens devenaient *lapsi*, apostats, et sacrifiaient aux divinités de Rome. Puis, égarés, lapidés par les païens qui continuaient de leur témoigner une haine mêlée à présent de mépris, ils étaient rejetés par leurs frères et sœurs qu'ils avaient abandonnés et trahis.

Souvent ils étaient repris, torturés. Leur reniement était devenu inutile. Certains retrouvaient leur foi, s'avançaient dans l'arène sans trembler. Les bourreaux, irrités par le courage des martyrs, leur inventaient des tortures plus cruelles encore.

En Égypte, le préfet lui-même assistait aux supplices, penché sur ces corps ensanglantés, fouaillés par les lames rougies au feu, espérant une abjuration.

Puis, devant le silence des chrétiens, il ordonnait qu'on les soignât, qu'on les nourrît afin qu'ils affrontassent la mort en ayant recouvré leurs forces, que leur souffrance fût ainsi plus vive quand les fauves les lacéreraient.

Là, en Phrygie, cette province d'Orient qui comptait tant de chrétiens, les soldats ne prirent même pas la peine de torturer, cernant les cités, les incendiant, empêchant tous les habitants, qu'ils fussent femmes ou enfants, de s'enfuir et se repaissant du spectacle des flammes dévorant les maisons et les corps.

On fit de même en Afrique, en Espagne. Partout on détruisit les églises, on brûla les livres saints.

Les empereurs Dioclétien et Maximien, le césar Galère furent sans pitié.

Leurs courriers s'élançaient sur les routes de l'Empire, portant les missives impériales qui exigeaient des légats et des gouverneurs qu'ils saccagent, brûlent, supplicient, tuent.

Et ceux d'entre eux qui avaient hésité, se contentant d'abord d'emprisonner, obéissaient avec zèle aux ordres transmis.

Chaque chrétien eut sa part de souffrance.

Aux uns la hache de la décapitation, aux autres la mort par flagellation. C'étaient là supplices habituels. Mais la plèbe réclamait le gril, le bûcher, le plomb fondu et l'huile brûlante, les peignes de métal rougi au feu qui déchiraient les chairs. Et on livrait ce qui restait des corps aux ours. Certains furent enterrés vivants et d'autres eurent les membres brisés et la tête fracassée à coups de marteau.

Dieu seul connaît le nom de tous ces martyrs.

Les uns étaient soldats, comme Emeterius et Chelidonius. Les autres diacres, évêques ou simples fidèles. Agnès, Sébastien, Marc et le pape

Marcellin périrent à Rome. Les enfants et les femmes ne furent pas épargnés : ainsi cette jeune vierge, Eulalie, martyrisée à Mérida.

Ce ne sont là que quelques noms, quelques visages parmi les milliers qui rejoignirent Christos dans la souffrance acceptée, la fidélité proclamée.

J'ai prié dans ma chambre, protégé malgré moi de la tempête de mort qui sévissait.

Une nuit, la porte s'est ouverte et Constantin est entré alors que j'étais à genoux.

– En Gaule, en Bretagne, là où Constance Chlore gouverne, pas un chrétien n'a souffert des édits de Dioclétien, a-t-il murmuré en se penchant sur moi.

Puis il s'est redressé et a ajouté :

– Je suis le fils de Constance Chlore.

DEUXIÈME PARTIE

8.

J'ai vécu plus de deux années au cœur de cette tempête de mort.

J'ai vu les prétoriens s'avancer en rangs serrés et fracasser à coups de hache les portes de l'église située en face du palais impérial. Puis ils ont brûlé les livres sacrés et détruit le sanctuaire.

J'ai entendu, j'ai imaginé les cris de souffrance et les prières des chrétiens du palais que l'on suppliciait.

J'ai martelé ma porte. J'ai hurlé ma foi. Je voulais mêler ma voix à celles des martyrs. Je réclamais de les rejoindre. Je n'étais pas un déserteur, un des *lapsi*, un apostat.

J'implorai Dieu pour qu'Il m'accordât la grâce de Lui prouver ma fidélité. Et j'ai espéré qu'une sentinelle ou qu'un esclave, en entendant mes prières à Christos, la proclamation de ma foi, courrait me dénoncer auprès d'un tribun ou d'un régisseur.

À chaque fois que la porte s'est ouverte et que

j'ai vu se profiler l'ombre d'un prétorien, je me suis avancé, mon corps et mon âme préparés à recevoir les coups, les chaînes.

Mais le soldat s'effaçait ou bien l'esclave se retirait, me laissant seul avec Constantin.

Le fils de Constance Chlore avait pris l'habitude de me rendre quotidiennement visite, souvent à la tombée de la nuit.

Il pouvait rester longtemps silencieux, assis en face de moi, m'écoutant alors que je le suppliais de me laisser quitter le palais, affronter la tempête de mort. Et Dieu déciderait alors de mon sort.

Constantin se contentait de pencher sa lourde tête, le buste immobile, ses larges mains posées à plat sur ses cuisses.

Souvent il murmurait : « Je t'ai entendu, Denys. »

Je me taisais, sachant qu'il ne céderait pas à mes supplications, et je l'interrogeais alors sur ce qu'il savait de cette grande persécution qui n'épargnait, comme il me le répétait, que la Bretagne et la Gaule, provinces que son père gouvernait.

Dans toutes les autres nations de l'Empire, de la Syrie à l'Illyrie, d'Antioche à Sirmium, de l'Égypte à l'Italie, d'Alexandrie à Rome, de la

Grèce à la Cisalpine, d'Athènes à Milan, les empereurs Dioclétien et Maximien, et le césar Galère étaient obéis.

Les églises se changeaient en décombres, les corps des chrétiens en cendres. Ne survivaient que ceux qui se cachaient dans le désert, dans les forêts ou dans les catacombes, ou ceux, si nombreux, qui devenaient apostats. Leur chair palpitait encore, mais leur âme était cadavre.

Et moi, Denys, je survivais.

Je recommençais alors à supplier Constantin de me laisser me livrer afin que Dieu sût combien je Lui étais fidèle, que je pusse enfin mesurer la profondeur de ma foi et l'attention que Dieu me portait, le destin qu'Il avait dessiné pour moi.

Un jour, au moment de quitter la chambre, alors que je le sollicitais une nouvelle fois, le menaçant de tout tenter pour m'enfuir, lui disant même que je n'hésiterais pas à avouer qu'il m'avait retenu prisonnier afin de me soustraire aux obligations impériales, Constantin est revenu vers moi.

— Et si ton Dieu t'avait déjà choisi, si ton sort était d'être à mes côtés, s'il te fallait comprendre cela ? Pourquoi refuses-tu le chemin sur lequel tu te trouves ? a-t-il demandé.

Il m'a dévisagé, puis il a marmonné qu'à compter du lendemain matin il ordonnerait aux sentinelles de ne plus surveiller ma porte. Je pourrais quitter la chambre, le palais impérial, me livrer aux prétoriens de l'empereur, affronter les supplices et les ours dans l'arène.

– Tu es libre, Denys. Mais ne te trompe pas. Interroge ton Dieu. Essaie de deviner ce qu'Il attend de toi.

Il a ouvert les bras et murmuré :

– Je ne partage pas ta foi, Denys. Et je ne puis faire lire par l'un de mes prêtres ton avenir dans les entrailles d'un animal. Ce n'est pas ainsi qu'on dévoile les intentions de ton Christos. Ton sacrifice, Denys, est peut-être de rester vivant et de me faire entendre la parole de ton Dieu. Pourquoi pas ?

Il s'est éloigné en ajoutant, sans tourner la tête :

– À toi de prier et d'obtenir la réponse.

Après son départ, je me suis agenouillé et l'aube est venue alors que je priais et méditais encore.

J'avais rassemblé au cours de la nuit tout ce que j'avais retenu depuis que je vivais auprès de Constantin.

J'avais beaucoup appris.

Je n'ignorais plus rien du caractère, des vices ou des vertus, de la sagesse ou des ambitions de Dioclétien, de Maximien, de Galère.

Dioclétien était à la fois habile et sage, convaincu qu'il fallait arracher de l'Empire les pousses encore frêles de la foi chrétienne.

Il s'y employait avec l'aide de Maximien, ambitieux, attaché au pouvoir alors que Dioclétien répétait qu'un jour, bientôt, il abdiquerait, et que ce jour-là Maximien, le second empereur, devrait le suivre dans sa retraite.

Mais alors accéderait au premier des trônes impériaux le césar Galère, un homme cruel et frustre, le plus acharné à détruire les églises et à supplicier les chrétiens.

Constance Chlore deviendrait le second auguste en lieu et place de Maximien. C'était un homme prudent, de santé fragile, n'ayant jamais manifesté d'hostilité aux chrétiens, mais survivrait-il long-temps, et quel césar lui donnerait-on pour l'assister ? Son fils Constantin ?

Je savais que celui-ci l'espérait.

Je l'avais accompagné dans la petite ville de Drepanum, non loin de Nicomédie. Là vivait dans sa ville natale sa mère, Hélène, répudiée par Constance Chlore. Dioclétien avait exigé de lui cette rupture et l'avait contraint à épouser Theodora, la jeune fille de l'épouse syrienne de Maximien. Galère, pour sa part, avait épousé Valeria, la fille de Dioclétien.

Ainsi se nouaient entre empereurs et césars des liens familiaux dont Constantin était écarté. Il avait épousé à Drepanum une jeune femme, Minervina, dont il avait eu un fils, Crispus.

Je n'imaginais pas qu'ainsi surveillé comme un otage par Dioclétien, fils d'une mère répudiée, jalousé et craint par Galère, Constantin pût un jour, simplement, si Dioclétien et Maximien abdiquaient, devenir le césar de son père Constance Chlore.

Peut-être même mon sort serait-il scellé avant que ces événements aient lieu ?

Dioclétien et Galère, l'empereur et le césar d'Orient, avaient reconnu et vanté les qualités militaires et le courage de Constantin.

Il avait été nommé centurion de la garde impériale, puis tribun militaire.

Mais ainsi on le désignait, au cours des guerres contre les Perses ou les peuples barbares des rives du Danube, pour les attaques les plus risquées. On l'encensait, mais on l'envoyait à la rencontre de la mort.

Et Galère l'incitait à descendre dans l'arène afin de s'y mesurer avec les plus pervers et les plus habiles des gladiateurs ou les plus féroces des ours.

À chaque fois, j'avais prié pour que Constantin l'emportât.

Et Dieu m'avait exaucé. Constantin avait pu lever son glaive trempé dans le sang des bêtes fauves ou de ses adversaires.

Mais, au sortir de l'arène, je lui murmurais que chacun de ces combats qu'on l'obligeait à livrer était un piège qu'on lui tendait. On espérait – Galère d'abord, mais sans doute aussi Dioclétien – qu'ainsi la mort le frapperait sans qu'on eût besoin de le faire égorger dans sa chambre ou empoisonner au cours d'un banquet. Ce serait une mort glorieuse, et l'on célébrerait avec faste son souvenir.

Voulait-il cela ?

– Interroge ton Dieu, m'avait-il répondu en souriant. Peut-être qu'il sait. Prie pour moi, Denys. Je ne connais pas ton Christos, mais je crois à la puissance que dispense la foi en lui.

L'aube est venue.

Je n'ai plus entendu les voix des sentinelles.

J'ai ouvert la porte. Le vestibule était vide.

Je n'avais que quelques pas à faire pour quitter le palais impérial et croiser les prétoriens de Dioclétien et de Galère. Et il eût suffi que je prononce le nom de Christos ou que je me signe devant eux pour qu'ils se saisissent de moi et me livrent aux bourreaux.

J'ai hésité sur le seuil de ma chambre, puis j'ai refermé la porte.

Je me suis à nouveau agenouillé.

Dieu lançait un défi à chacun de Ses fidèles et à Son peuple de croyants. Il voulait savoir si nous étions capables d'opposer notre foi et notre fidélité à ce déchaînement de cruauté, à cette Grande Persécution voulue par Dioclétien, Maximien et Galère, dont le but était de ne laisser que ruines chrétiennes, corps et âmes morts.

Il fallait pour ces deux empereurs et pour ce césar que règnent à nouveau sans partage, sur tout l'Empire, les idoles païennes, que cesse la croissance du christianisme, qu'on en arrache toutes les racines.

Si un homme pouvait, au sommet de l'Empire, arrêter cette tempête de mort, laisser fleurir les pousses chrétiennes, ce ne pouvait être que le fils de Constance Chlore.

Je ne devais donc pas mourir dans l'arène. Le temps n'était pas venu pour moi de rejoindre Christos, la paix et la vie éternelles par la souffrance et la mort.

Dieu m'avait placé aux côtés de Constantin pour l'enseigner, le guider, prier pour lui.

Tel devait être mon choix.

9.

Je n'ai plus quitté Constantin.

J'étais à ses côtés, ce 1ᵉʳ mai de l'an 305, quand l'empereur Dioclétien s'est avancé seul, d'un pas lent, dans la grand-salle du palais impérial de Nicomédie.

Derrière lui, au-delà des colonnes et des rangs de prétoriens casqués tenant à deux mains leurs javelots, j'apercevais l'infini bleuté du ciel et de la terre.

Le monde allait changer. Dieu le voulait.

Après vingt ans de règne, Dioclétien avait décidé d'abdiquer, entraînant avec lui, ainsi qu'il l'avait décidé, le second empereur, Maximien. Constance Chlore remplacerait ce dernier à l'Occident, et le césar Galère succéderait à l'Orient, comme empereur jupitérien, à Dioclétien.

Lorsque Constantin m'a annoncé ces nouvelles, il a gardé les yeux clos comme pour mieux imaginer ce qui pouvait advenir.

Serait-il le césar de son propre père ? Recevrait-il l'autorisation de rejoindre la capitale d'Occident, Trèves, ou bien serait-il gardé par Galère à Nicomédie et poussé à combattre contre les barbares, les gladiateurs, les ours, afin qu'un jour la mort vienne le transpercer et le déchirer ?

Constantin n'a pas sollicité mes conseils, mais il m'a demandé de prier pour lui, devant lui, murmurant qu'il avait besoin de l'aide de tous les dieux, et donc aussi de celui des chrétiens, ce Christos tout-puissant. Il ne m'a pas dissimulé qu'il demandait à ses prêtres de sacrifier au temple de Jupiter et d'Apollon, et d'invoquer pour lui la protection de *Sol invictus*. Il a même ajouté qu'il saurait un jour quel était le dieu qui dominait tous les autres, celui qui était en somme l'empereur divin. Car, a-t-il murmuré, il ne croyait pas qu'il fût possible, comme Dioclétien avait tenté de le faire pour l'Empire, de régner à plusieurs, que ce fût dans les Cieux ou sur la Terre.

– Dieu et l'empereur sont uniques. Le pouvoir est Un et ne se peut partager.

J'ai prié pour que Constantin reconnaisse la suprématie de Christos le Ressuscité.

Et maintenant, ce 1er mai 305, je guettais les gestes de l'empereur Dioclétien.

Enveloppé dans son grand manteau de pourpre, il regardait autour de lui les centurions, les tribuns, les gouverneurs, les légats, les conseillers, tous ceux dont le destin risquait de changer, l'empereur qu'ils servaient se retirant dans son palais de Spalatum, en Illyrie, sa province natale.

Dioclétien a commencé à ouvrir les bras et j'ai eu tout à coup l'impression qu'un aigle déployait ses ailes rougeâtres.

Il s'est approché de Galère, et je n'ai plus pu détacher mes yeux de cet homme de haute taille, presque difforme tant son ventre était proéminent, dont le visage était parcouru de tics. Il était d'une laideur cruelle. S'il décidait du sort de Constantin, celui-ci ne pouvait être que funeste. Or Galère allait être le premier des empereurs. Il désignerait les deux césars : celui qui l'assisterait et celui qui seconderait Constance Chlore.

Je savais – et Constantin ne pouvait en douter – que jamais Galère n'autoriserait le fils à devenir le césar de son père.

Dioclétien s'est immobilisé à quelques pas de Galère.

– Tu es le premier des augustes, a-t-il dit.

Puis il a légèrement tourné la tête vers Constantin.

– Et le césar Constance Chlore devient le

second empereur en lieu et place de Maximien dont le cycle finit avec le mien, pour le bien de l'Empire et la défense de ses dieux.

Dioclétien a levé les bras et le manteau de pourpre a glissé le long de son dos, tombant de ses épaules sur le sol, couvrant les dalles de marbre de ses plis rouge sang.

J'ai pensé que Christos commençait à exiger le prix des persécutions commises contre ceux qui croyaient en lui. Il dépouillait l'empereur de son pouvoir. Vêtu d'une tunique blanche de vétéran, Dioclétien a traversé la salle, et les prétoriens se sont mis à frapper le sol du bout de leurs javelots pour saluer son départ.

Dioclétien ne s'est pas retourné.

Je l'ai vu monter sur un chariot qui s'est éloigné, suivi par une dizaine de cavaliers de sa garde.

À cet instant, le brouhaha et le tumulte ont envahi la salle du palais. Prétoriens, centurions, tribuns et légats entouraient Galère qui avait déjà posé sur ses épaules le manteau de pourpre et dont une grimace de vanité déformait le visage. Il tenait ses mains serrées sur la poignée de son glaive comme s'il avait craint, à l'instant de son triomphe, quelque menace.

Son regard s'arrêtait souvent sur Constantin qui n'avait pas bougé, restant ainsi à l'écart.

Tout à coup, Galère a repoussé ceux qui se pressaient autour de lui. Il s'est dirigé vers Constantin et l'a saisi aux épaules en disant d'une voix forte :

– Je salue le fils de l'empereur Constance Chlore, le tribun militaire au courage inégalé et qui combat sur les frontières de l'Empire !

Il a tourné la tête vers moi comme s'il avait senti que je le regardais. Il m'a longuement dévisagé et j'ai su qu'il avait reconnu en moi un disciple de Christos.

Il a gardé les deux mains posées sur les épaules de Constantin et a repris d'une voix forte :

– J'ai besoin de toi. Je te veux près de moi.

Puis il s'est éloigné, suivi par la foule des courtisans, et nous sommes restés seuls dans la salle qui s'était vidée.

Le lendemain, Constantin m'a annoncé que Galère avait désigné les deux césars : son neveu Maximin Daia l'assisterait dans les gouvernements de l'Orient et il avait choisi l'un de ses proches, le général Sévère, un ivrogne et un débauché, pour être le césar de l'empereur Constance Chlore.

Les lettres qu'avait adressées Constance à Galère lui demandant d'autoriser son fils à le rejoindre, faisant état des menaces barbares qui pesaient sur la Bretagne, des fatigues et de la maladie qui l'affaiblissaient, rendant sa présence d'autant plus nécessaire, étaient restées sans effet.

L'empereur Galère voulait garder, serré dans sa poigne, le jeune Constantin.

Il m'a semblé que des ombres inquiétantes commençaient à rôder dans l'aile du palais réservée à Constantin.

Certaines s'attardaient devant ma porte, d'autres nous suivaient quand nous nous rendions à Drepanum afin d'y rencontrer Hélène. La mère de Constantin conseillait à son fils de fuir avec son épouse Minervina et leur enfant, Crispus.

Constantin se tournait vers moi, m'observait sans solliciter mon avis.

Je le sentais tendu comme un homme qui doit choisir le moment de dégainer son glaive.

Il rentrait la tête dans les épaules, la laissait retomber sur sa poitrine, et cependant son attitude ne donnait en rien une impression de fatigue, de renoncement ou d'accablement. C'était au contraire la posture d'un soldat qui se recueille ou se ramasse avant le combat.

Puis j'ai simplement demandé :

– Peux-tu accepter cela ?

10.

Aux côtés de Constantin, j'ai senti chaque jour davantage le poids de la haine et la présence de la mort.

Elles rôdaient parmi les centurions et les tribuns, les prétoriens de Galère et de Maximin Daia qui murmuraient sur notre passage quand nous quittions le palais impérial.

Elles nous suivaient quand nous nous rendions à Drepanum, chez la mère de Constantin, ou bien quand je l'accompagnais au grand amphithéâtre de Nicomédie où Galère lui avait ordonné de se rendre.

J'avais voulu me dérober : nous autres, croyants en Christos, nous refusions d'assister aux jeux sanglants, mais Constantin avait insisté pour m'avoir auprès de lui.

– Tu dois être là, a-t-il dit. Tu dois prier ton Dieu pour moi.

J'ai fermé les yeux pour ne pas voir des gladiateurs s'entre-tuer, des officiers contraints par
Galère d'affronter des ours ou des lions.

Puis, tout à coup, j'ai entendu la voix de l'empereur interpeller Constantin, le mettre au défi de
descendre dans l'arène et de faire face à un lion
d'Afrique que personne encore n'avait pu tuer.

– Voyons si tu le peux, si les dieux te sont
favorables. À moins que tu n'aies peur ?

Constantin s'est levé et j'ai prié avec ferveur
tandis que la foule hurlait en voyant Constantin
entrer dans l'arène, tenant glaive et javelot.

On a martelé son surnom, « Trachala » (gros
cou), puis on a soulevé les grilles et la bête féroce
à la crinière dorée a surgi en rugissant, tournant la
tête, découvrant cet homme dont le fer des armes
réfléchissait le soleil.

J'ai lancé un coup d'œil à Galère auprès de qui
se tenait son césar, Maximin Daia. Sur le visage
des deux hommes se peignait le désir de mort.

Ils voulaient que Constantin soit démembré,
dépecé, dévoré.

J'ai supplié comme si j'avais eu devant moi le
Dieu vivant debout dans un grand éclat de
lumière.

Il y a eu un cri unique de la plèbe, puis des
hurlements scandés : « Trachala, Trachala ! »

Constantin avait égorgé le lion.

Galère et Maximin Daia, le visage creusé par la colère et la déception, applaudissaient.

Mais, la mort évitée, la haine demeurait, alimentant la cruauté et avivant encore la persécution.

Je recevais des messagers qui avaient réussi à quitter les communautés chrétiennes harcelées, suppliciées dans les provinces d'Afrique, d'Égypte, de Palestine, de Syrie, de Cappadoce, d'Illyrie, de Dacie, de Pannonie. Partout, du Nil au Jourdain, du Tigre au Danube, de l'Euphrate au Tibre, légats et gouverneurs exécutaient avec furie les ordres de Galère et de Maximin Daia.

L'empereur Galère était fruste et cruel. Il voulait qu'on appliquât à la lettre les édits de Dioclétien. Pour lui, les chrétiens n'étaient que des ennemis de l'Empire qu'il fallait contraindre à l'obéissance en les torturant, en les livrant aux bêtes ou bien en les réduisant à l'esclavage. Des milliers de mes frères chrétiens furent condamnés au travail dans les mines, ce lent supplice qui aveuglait, étouffait, déformait, brisait les membres.

Mais le césar Maximin Daia ajoutait à cette brutalité la haine personnelle d'un homme qui méprisait la foi chrétienne et avait la ferme volonté d'en finir avec cette religion, non seulement en exigeant que les chrétiens sacrifient à l'Empire, mais en annihilant leur foi et en insufflant aux dieux païens des forces nouvelles.

J'ai vu passer dans les galeries du palais impérial des rhéteurs grecs ou égyptiens dont Constantin me citait les noms – Urbanus, Hiéroclès, Firmilien, Théoctène –, me rappelant qu'ils étaient chargés par le césar Maximin Daia de rassembler les arguments prouvant que Christos n'était qu'un magicien égyptien, un faux devin autour duquel on avait bâti une légende qui permettait à des débauchés, à des corrompus, à des voleurs de dépouiller et d'asservir à leurs désirs les âmes faibles.

Il s'agissait aussi, pour Maximin Daia, de désigner dans chaque ville un prêtre et un grand prêtre qui dirigeraient les cultes des dieux, et d'abord celui de Jupiter Très-Grand et Très-Haut.

Lui aussi voulait, pour combattre Christos, faire naître un dieu unique, Jupiter, tout comme l'empereur Aurélien avait imposé le culte du *Sol invictus*.

Maximin Daia exigeait que tous les habitants de toutes les villes, de toutes les provinces relevant de l'empereur Galère et de lui-même sacrifient aux dieux de Rome. Les citoyens – et leurs esclaves – qui s'y refusaient étaient arrêtés, suppliciés, mutilés, livrés aux bêtes, rôtis sur le gril, crucifiés.

Jamais, m'écrivaient des chrétiens d'Antioche, la persécution n'avait été aussi féroce ni aussi méthodique. « Nous et nos églises, disaient-ils, ne devons plus être qu'un tapis de cendres. »

– Peux-tu accepter cela ? ai-je à nouveau demandé à Constantin.

Lui, qui écoutait les oracles des dieux païens, qui sacrifiait à Jupiter et à *Sol invictus*, était menacé tout comme nous. Lui et nous, de manière différente, représentions une menace pour l'empereur Galère et pour les césars Maximin Daia et Sévère.

Je voulais qu'il comprît que nous devions par conséquent nous allier.

Je lui parlai de notre Église, des communautés chrétiennes présentes, malgré la persécution, dans toutes les provinces de l'Empire. Je connaissais les évêques et eux-mêmes connaissaient chacun de leurs fidèles.

– Les soldats estiment ton courage, ai-je poursuivi. Ils respectent en toi le tribun valeureux et victorieux. Ils méprisent Galère. Ils critiquent les choix qu'il a faits en nommant césars son neveu et un débauché, en t'écartant, toi, le brave, fils de

Constance Chlore, qui a vaincu en Bretagne, sur le Rhin, les peuples barbares. Songe, Constantin, à la force que t'apporteraient ceux qui croient en Christos. Nous sommes partout, Constantin. Nous sommes trop nombreux, déjà, notre foi est trop enracinée dans nos âmes et dans les terres de l'Empire pour que la persécution nous fasse disparaître. Tu as vu mes frères et mes sœurs affronter en silence les supplices, avancer d'un pas tranquille vers la mort. Notre foi est éternelle comme notre Église, comme la vie que promet Christos à ceux qui le choisissent.

Il m'a écouté en me fixant de ses yeux ronds, si gros qu'ils paraissaient sur le point de jaillir hors du visage.

— Il faut partir dès cette nuit, m'a-t-il dit.

11.

Cette nuit-là, lorsque j'ai observé le ciel, j'ai su que Dieu veillait sur Constantin.

Les étoiles dessinaient dans les ténèbres hivernales une large voie scintillante qui éclairait le chemin pavé sur lequel nous galopions.

J'apercevais loin devant moi la silhouette de Constantin courbée sur l'encolure de son cheval. Il se retournait souvent, m'invitant d'un geste à accélérer ma course. Mais j'étais un homme d'étude, et non un cavalier, et je lui criais de ne pas se soucier de moi.

J'étais peut-être parvenu au bout de ma route, ayant accompli ce que Dieu attendait de moi.

J'avais préparé notre fuite de Nicomédie.

J'avais envoyé un messager aux communautés chrétiennes des provinces de Thrace, de Mésie, d'Illyrie et de Pannonie, leur demandant de se rassembler à proximité des relais impériaux.

J'avais osé leur dire qu'un élu de Dieu, un

homme qui allait tenir entre ses mains les destinées de notre religion, se présenterait à eux et
aurait besoin de leur aide.

J'avais pris le risque d'interpréter ainsi le choix
de Dieu qui, alors que tant de mes frères et sœurs
entraient dans la vie éternelle par la grande porte
de la souffrance et du martyre, m'avait laissé sur
le seuil, dans notre monde, alors qu'y régnaient
les souverains persécuteurs.

Et maintenant je galopais, la peau entaillée par
le vent froid de la chevauchée.

Je rejoignais Constantin à l'arrêt, maîtrisant
son cheval qui piaffait. Il me répétait que le futur
se jouait au cours de cette première nuit. Il fallait
atteindre les rives des détroits avant que Galère
et Maximin Daia aient découvert notre fuite. Car
ils allaient lancer des assassins à nos trousses.

Galère avait fait mine, la veille, d'autoriser le
départ de Constantin afin de lui tendre une embuscade sur un point de cette longue route conduisant
de Nicomédie à Trèves. Mais Constantin avait
décidé de le prendre de vitesse.

Nous avions quitté le palais de Nicomédie à la
tombée de la nuit, au moment où Galère et
Maximin commençaient à boire et à se vautrer
sur le corps des femmes. Ils allaient jouir et vomir

jusqu'à l'aube. Quand ils sortiraient en titubant de leur ivresse, nous aurions franchi les détroits, changé nos chevaux au relais impérial du port de Byzance, montré la lettre par laquelle Galère autorisait le tribun militaire Constantin à rejoindre son père Constance Chlore, l'auguste, et demandait qu'on lui fournît assistance et nourriture.

J'avais vu s'avancer vers nous, sortant de la pénombre, le visage enveloppé par les pans de leurs tuniques, les chrétiens de la communauté de Byzance, venus, ainsi que je le leur avais demandé, nous offrir leur aide, nous proposer un guide pour gagner, par la forêt, la voie conduisant en Illyrie.

Suivant mes indications, ils avaient averti les autres communautés ou ce qu'il en restait, car les soldats de Maximin Daia avaient décimé, supplicié, brûlé tant de frères et sœurs chrétiens qu'il ne survivait parfois, sur plusieurs dizaines de membres, que trois ou quatre fidèles qui profitaient de l'obscurité pour aller fouiller les décombres de l'église afin d'y retrouver les objets sacrés et y prier.

Mais ces fidèles seraient là à nous attendre.

La première nuit, nous avons franchi les détroits, changé de chevaux au relais de Byzance, puis nous nous sommes enfoncés, guidés par un chrétien, dans la forêt.

Je ne doutais pas que nous allions réussir à gagner Trèves. Il me suffisait de regarder cette voie lumineuse qui traversait le ciel.

Et pourtant j'ai souffert, dès cette nuit-là, alors qu'il me semblait que je favorisais le dessein de Dieu. Mais j'ai su que l'empire du genre humain, même soumis au gouvernement de Constantin, serait encore un royaume sanglant, que le mal y survivrait, que seule la vie éternelle offrait la paix et le triomphe du bien.

Je l'avais compris lorsque, au relais impérial, après que l'on nous eut fourni des chevaux frais, j'ai vu Constantin sortir son glaive et, d'un geste assuré, celui du soldat qu'il était, celui de l'homme qui avait combattu les gladiateurs, les ours, les lions dans les arènes, trancher les jarrets de nos chevaux afin que nos poursuivants ne pussent s'en servir de montures.

Jambes tout à coup ployées, mon cheval avait redressé la tête, semblant interroger le ciel, et son hennissement avait été un cri de douleur, puis il s'était affaissé avant de se coucher sur le flanc.

Constantin s'était déjà éloigné, précédé par le

guide chrétien, en direction de la forêt, et je l'avais suivi, abandonnant les bêtes blessées, promises à la mort.

Tout au long de notre route, cette scène s'est reproduite. Cependant, Constantin savait que nous ne pouvions plus être rejoints, et, même si nos poursuivants y étaient parvenus, jamais les soldats des troupes d'Illyrie n'auraient permis qu'on nous arrêtât. Constantin ayant été l'un de leurs tribuns. Dès qu'on le reconnaissait, on l'acclamait, on lui jurait fidélité, et par mille voix, mille bras levés brandissant des glaives et des javelots, on lui montrait qu'on était prêt à le proclamer césar, empereur, et qu'on rejetait Galère, Maximin Daia et Sévère.

Mais Constantin se dérobait à ce triomphe, puis tranchait les jarrets de nos montures, laissant derrière nous ces bêtes mutilées comme pour me rappeler que le chemin des hommes, même s'ils suivent celui que Dieu leur suggère, est toujours bordé de cadavres humains ou animaux, et que la mort, sur cette terre, fait toujours escorte à la vie.

J'ai observé Constantin alors que nous approchions de Trèves, où nous espérions retrouver son père l'empereur Constance Chlore.

Les noires forêts de Germanie que nous traversions étaient peuplées de Barbares dont nous devinions la présence aux fumées qui s'élevaient au-dessus de la cime des arbres. Parfois, nous apercevions quelques chasseurs qui s'enfuyaient en voyant Constantin, le glaive brandi, faisant bondir son cheval.

Il était l'homme qui accepte la mort mais a choisi aussi de la donner.

Peut-être un empereur qui veut et doit gouverner le corps et l'esprit des hommes ne peut-il échapper à cette loi ?

J'ai remercié Christos de ne m'avoir chargé que d'enseigner les âmes et de les conduire vers Dieu.

Souvent guidés par des chrétiens, nous avions parcouru la Thrace, la Mésie, la Dalmatie, l'Illyrie, la Pannonie, la Norique et la Rétie, puis, après les forêts germaniques, nous avions longé le Rhin.

Cela faisait près de trois mois que nous avions quitté le palais de Nicomédie.

Chaque soir, alors que nous nous enveloppions dans nos manteaux de fourrure, j'avais prié à haute voix pour que Constantin m'entendît honorer Christos, Notre-Père.

Il m'écoutait sans jamais me questionner ni m'accompagner. J'ai compris qu'il était homme à ne vouloir rejeter aucun des dieux, pas plus Jupiter ou *Sol invictus* que notre Christos unique et tout-puissant.

Il voulait rassembler autour de lui, à son profit, toutes les forces humaines et divines.

Je n'étais pas impatient : si Dieu l'avait choisi, le jour viendrait où il rejetterait les vieilles défroques des dieux païens pour recevoir le baptême qui le ferait disciple de Christos.

Trèves était vide d'hommes. L'armée, l'empereur Constance Chlore à sa tête, avait gagné le bord de mer, le port de Boulogne, afin de s'embarquer pour la Bretagne où les Pictes, peuples barbares de Calédonie, avaient franchi les murs dressés pour les contenir par les empereurs Antonin et Hadrien. Ils s'enfonçaient dans les terres romaines du Sud, saccageaient les récoltes, volaient les troupeaux, pillaient les demeures.

Constance Chlore entendait les vaincre et les refouler.

Nous avons atteint Boulogne au moment où celui-ci embarquait.

J'ai vu cet homme à la peau si pâle qu'elle semblait poudrée. J'ai su que la mort l'avait déjà enveloppé de son blanc linceul.

Constance a serré son fils contre lui et c'était comme s'il avait pris appui sur le tronc vigoureux d'un arbre que rien ne semblait pouvoir déraciner.

– Prie ton Christos pour mon père, a murmuré Constantin alors qu'après avoir traversé la mer nous poursuivions les Pictes.

Constance Chlore voulait les refouler au Nord, au-delà du mur d'Hadrien, et faire ainsi la conquête de la Calédonie, contraindre ce peuple barbare à se soumettre à la loi de Rome, poursuivre la tâche entreprise par Jules César.

– Ton Dieu n'a pas encore choisi de se montrer aux hommes, a souligné Constance Chlore, alors que l'Empire, Rome et ses dieux gouvernent déjà le monde. Rome est ainsi plus ancienne que ton Dieu. Pourquoi ne prions-nous pas notre empereur Auguste ? Il fut le dieu vivant de tout le genre humain, avant Christos !

C'était à Eburacum, déjà au nord de la Bretagne, là où les légions avaient tracé et dressé leurs camps.

L'été sombre ployait les hautes herbes sous la pluie et le vent.

Je priais, mais je savais que la mort était là, agrippée aux épaules de Constance Chlore, et que je ne pouvais qu'implorer la miséricorde de Dieu pour cet homme qui avait préservé de la persécution les provinces qu'il gouvernait comme césar de Maximien, puis comme empereur.

Je priais aussi avec les chrétiens qui m'avaient rejoint à Eburacum, pour que les tribuns, les centurions, les soldats choisissent, pour succéder à Constance, son fils Constantin.

Il attendait ce moment depuis que nous avions débarqué en Bretagne.

Il s'était toujours élancé le premier contre les Pictes, creusant dans leurs rangs un sillon sanglant, et, après chaque bataille, les soldats avaient acclamé le tribun militaire, digne fils de Constance Chlore.

Il les avait toujours associés à ses triomphes, allant de l'un à l'autre, et ils s'étaient pressés autour de lui qui les dominait de sa haute taille, sa large tête enfoncée dans les épaules, ses joues tachetées de plaques roses, ses longues mèches plaquées tentant de masquer une calvitie précoce.

Le 25 juillet 306, l'empereur Constance est mort alors que son fils lui tenait les mains.

J'ai prié pour Constance dont le corps était présenté à l'armée rassemblée autour du bûcher sur lequel il gisait. Constantin y a mis le feu.

Sous le ciel humide, les flammes ont été lentes à s'élever, à dévorer le bois et le corps.

Puis on a recueilli les cendres et Constantin a dispersé cette poussière grise que le vent emportait.

À cet instant, les centurions ont levé leurs enseignes, les légionnaires leurs javelots et leurs glaives.

Une voix a crié, déformée et prolongée par le vent :

– Constance, notre empereur, est mort ! Que vive l'empereur Constantin, fils de Constance ! Vivat !

J'ai vu Constantin hésiter, commencer à lever la main comme s'il voulait interrompre les cris, puis il a écarté les bras pour recueillir les acclamations, les accepter.

Alors j'ai fermé les yeux et remercié Dieu.

TROISIÈME PARTIE

12.

J'ai vécu plusieurs jours durant dans mon rêve.

Je chevauchais auprès de Constantin. J'étais à ses côtés sur les tribunes. Je voyais la plèbe bretonne courir vers lui. Elle saluait le nouvel empereur, le vainqueur des Pictes. Il avait refoulé les peuples barbares au-delà des murs d'Hadrien et d'Antonin. Il avait conclu la paix avec eux. Les Pictes ne déferleraient plus, saccageant les moissons, pillant villes et villages, massacrant ceux qui n'avaient pas réussi à fuir.

Les Bretons clamaient que Constantin était le protégé des dieux, le fils de Jupiter et de *Sol invictus*.

Et moi, près de lui, j'imaginais qu'il allait reconnaître la toute-puissance de Christos.

Je recevais les envoyés des communautés chrétiennes de toute la Bretagne. Elles avaient prié pour que le fils de Constance Chlore succédât à son père qui ne les avait jamais persécutées. Et il en allait de même pour tous les chrétiens de Gaule.

Que Christos protège Constantin ! répétaient-ils.

Je savais que dans les provinces d'Orient, de celles d'Asie à celles de Syrie ou d'Égypte, de la Phrygie à la Bithynie, l'empereur Galère et le césar Maximin Daia, de même que le césar Sévère en Illyrie, continuaient d'appliquer avec une cruauté chaque jour plus perverse les édits de Dioclétien.

Je rêvais que Constantin rassemble autour de lui tout l'Empire, et il me semblait que le dessein de Dieu avait commencé de s'accomplir, que le triomphe de Christos était proche, et que par Constantin l'Empire en son entier serait chrétien.

Je fermais les yeux, imaginant une voie droite sur laquelle nous avancions. J'oubliais que les hommes tâtonnent dans un labyrinthe et errent longtemps avant de trouver l'issue qu'éclaire pourtant la lumière de la foi.

Mais je refusais de le voir, comme si mon rêve m'éblouissait.

Comme si Constantin était déjà un fidèle serviteur de Christos.

Un jour, mes yeux se sont ouverts et j'ai

découvert que nous étions encore au cœur du labyrinthe.

Nous avions regagné Trèves, la capitale. Devant la porte de Germanie à laquelle menait le pont de la Moselle, j'ai vu Hélène, la mère de Constantin. Elle avait réussi à s'enfuir de Drepanum, à échapper à la surveillance des prétoriens de Galère et de Maximin Daia. Près d'elle se tenaient Crispus et Minervina, le jeune fils et l'épouse de Constantin. Autour d'eux, la foule des Trévires, les tribuns, les centurions acclamaient l'empereur, Constantin le vainqueur.

J'ai vu s'avancer un homme enveloppé d'une longue tunique blanche. Je devinai aussitôt qu'il s'agissait d'Hésios, un Grec, le grand prêtre de *Sol invictus*. Cet homme maigre aux yeux enfoncés dans un visage émacié était entouré de desservants qui portaient dans leurs bras, comme s'il s'était agi de nouveau-nés, des agneaux aux pattes entravées.

Hésios s'est approché de Constantin. Il s'est mis à parler d'une voix si forte, scandant chaque mot, qu'on ne pouvait imaginer qu'elle émane de ce corps si frêle.

Il a dit :

— Constantin, toi que Jupiter a choisi pour

gouverner le genre humain, toi, fils de Constance, empereur pieux et sage qui se trouve aujourd'hui dans l'empire de *Sol invictus* parmi les dieux, honore les dieux et ton père en sacrifiant à Jupiter, à *Sol invictus*.

Mes yeux se sont dessillés.

J'ai laissé Constantin pénétrer dans le temple d'Apollon, précédé par Hésios et suivi par les desservants. Et j'ai entendu les bêlements des animaux que l'on sacrifiait.

La plèbe de Trèves avait elle aussi rendu grâce à Jupiter et à *Sol invictus*. Je me suis éloigné, ne retrouvant en moi la paix et l'espérance qu'au moment où je découvris, par-delà les fortifications de la ville, loin des temples élevés à Apollon, à Jupiter, à Isis, à Cybèle, à l'écart des lieux de sacrifices et du grand amphithéâtre fortifié où Constantin avait annoncé qu'il donnerait des jeux, quelques frères et sœurs vivant entre eux leur foi en Christos.

Il s'agissait de marchands syriens et grecs que Constance Chlore, qu'ils appelaient aussi Constance le Pieux, avait protégés de la haine de la plèbe. À plusieurs reprises, quand avaient été connus les édits de Dioclétien, les Trévires avaient réclamé que les chrétiens fussent jetés aux bêtes. Mais Constance Chlore avait fait trancher la langue des délateurs et les mains des persécuteurs.

Cyrille le Syrien, un homme jeune aux yeux verts prolongés de fines rides qui donnaient l'impression qu'il avait toujours le visage souriant, m'a demandé de me souvenir, chaque fois que je douterais de Constantin, des actes de son père.

– Il n'était pas disciple de Christos, mais il nous laissait semer. Les empereurs sont ainsi : ils vont là où se trouvent les plus belles moissons, les croyants les plus nombreux. Ce sont toujours des chefs de guerre : ils veulent des alliés et des armées.

J'ai regagné le palais impérial, non loin de la porte de Germanie.

J'ai vu Hésios assis auprès de Constantin.

J'ai appris que des messages de l'empereur Galère étaient parvenus à Trèves, porteurs des décisions de celui-ci. Galère y disait qu'il ne pouvait reconnaître à Constantin le titre d'empereur. Que celui-ci revenait au césar Sévère qui avait assisté Constance Chlore et qui, d'ailleurs, avait déjà été sacré et reconnu empereur des provinces d'Occident dans sa capitale de Milan. Mais Galère, parce qu'il avait pour unique souci la paix dans l'Empire, désignait Constantin césar de l'empereur Sévère.

Ainsi, comme l'avait voulu Dioclétien le sage, quatre hommes continueraient de régner sur l'Empire. Lui-même, Galère, serait le premier des empereurs, gouvernant l'Orient, assisté du césar Maximin Daia, et Sévère serait en Occident le second auguste, avec Constantin pour césar.

Fallait-il que Constantin acceptât cette proposition ? Qu'il prît ainsi place parmi les persécuteurs ?

J'ai prié pour que Dieu apporte réponse à ces questions.

Mais je n'ai entendu que Son silence.

Les hommes doivent choisir seuls, errer dans le labyrinthe, et à chacun de leurs pas ils s'éloignent ou se rapprochent de l'issue selon qu'ils s'écartent de Dieu ou avancent vers Lui.

C'est la foi et la confiance en Christos qui sont leurs seuls guides.

– J'ai accepté ce que m'a proposé l'empereur Galère, m'a dit Constantin.

Son regard a glissé sur moi sans s'attarder. Je n'étais plus son unique compagnon, comme je l'avais été au palais impérial de Nicomédie, mais l'un quelconque de ses proches, et j'ai pensé que Dieu m'infligeait ainsi une leçon d'humilité.

J'avais cru Constantin éclairé par notre foi, je le découvrais écoutant, le visage rosi par le plaisir et l'orgueil, Hésios lui déclarer que, quel que fût le titre que Galère lui attribuait, il était Apollon, incarnation de *Sol invictus*, Constantin le Grand, et que les dieux de Rome l'avaient déjà distingué parmi tous les hommes qui aspiraient à gouverner l'empire du genre humain.

Je mesurais que, pour Constantin, ce qui importait, ce n'était point de prier et d'aimer le Dieu unique, le Tout-Puissant, notre Christos, mais de rassembler en une gerbe moissonnée pour lui toutes les divinités, toutes les religions, toutes les croyances.

Cependant, je ne m'éloignais plus mais restais parmi ses proches. Je marchais avec eux dans les rues de Trèves. J'écoutais Constantin donner des ordres d'une voix impérieuse et impériale – et qu'importait en effet qu'il ne fût que le césar de Galère – pour que sa capitale devînt une autre Rome.

Il voulait qu'on agrandisse l'amphithéâtre, qu'on construise des thermes plus vastes que ceux

115

que l'empereur Caracalla avait fait aménager à Rome.

Il fallait aussi bâtir une curie pour les représentants et les légats, les tribuns, les magistrats des provinces qu'il gouvernait.

Il désirait que des temples fussent consacrés à toutes les divinités, et une basilique à Jupiter et à *Sol invictus*.

Hésios le félicitait : « Constantin le Grand, tu es le digne fils de Constance ! »

Mais où était l'Église chrétienne ? Et qu'était devenu le Constantin que j'avais cru en marche vers Christos ?

J'ai craint qu'il ne cherchât plus l'issue du labyrinthe tant je le découvrais heureux de s'y perdre.

Il avait changé. Plus distant, il regardait au loin son destin plutôt que de scruter les visages.

Il présidait les jeux, les parades avec une majesté hautaine, bras croisés, les yeux fixes, dédaigneux, ne s'animant qu'au moment où les soldats levaient leurs enseignes et leurs glaives pour acclamer celui qu'ils appelaient « Constantin le Grand » ou en qui ils célébraient le « Vainqueur perpétuel ».

Car il avait tenu à ceindre son front d'une couronne de césar victorieux.

Dès qu'il avait appris que les tribus franques avaient harcelé les garnisons des bords du Rhin, traversant le fleuve, guidées par des chefs cruels, Ascaric et Mérogaste, il avait quitté Trèves pour prendre la tête des légions.

Je l'avais suivi et j'avais vu comment un homme, lorsqu'il commande à des milliers d'autres d'affronter et de donner la mort, oublie qu'il n'est qu'un homme.

Il est devenu l'allié et le serviteur de la Mort.

Constantin chevauchait en avant des troupes, la poitrine enserrée dans une cuirasse d'or, comme s'il avait été sûr que la Mort ne frapperait pas celui qui la servait.

Il avait facilement vaincu, acculant les Francs, contraints de combattre dos au fleuve, à choisir entre la noyade, la soumission ou la mort.

Le Rhin avait charrié des centaines de cadavres, et des milliers de jeunes hommes avaient été entravés comme du bétail, poussés à coups de lance vers Trèves, promis, comme leurs chefs Ascaric et Mérogaste, prisonniers eux aussi, à la mort dans l'arène.

J'ai dit à Constantin que Dieu condamnait les jeux sanglants, ces rites barbares qui livraient des hommes aux bêtes féroces.

M'a-t-il entendu ? Le pouvait-il encore, alors que les cohortes l'acclamaient, que la plèbe exigeait du « Vainqueur perpétuel » le spectacle des jeux, et envahissait déjà les gradins de l'amphithéâtre ?

J'ai refusé de m'y rendre, me retirant au-delà de la porte de Germanie afin de prier parmi mes frères et sœurs chrétiens.

Dans les regards des fidèles, je lisais de l'inquiétude. Ce césar Constantin ne deviendrait-il pas lui aussi un persécuteur ? Ne se montrait-il pas aussi cruel que le plus sanguinaire des empereurs païens de Rome ?

Il ne vouait pas les chrétiens au supplice, mais ces centaines de prisonniers francs, que ses prétoriens, à coups de glaive, obligeaient à entrer dans l'arène, n'étaient-ils pas des humains, ne devenaient-ils pas eux aussi des persécutés, des martyrs ?

Ils étaient nus, sans arme, hagards, étourdis par les cris de la plèbe. Puis on soulevait les grilles et lions et tigres bondissaient, excités par les hurlements des spectateurs. On avait affamé ces fauves depuis plusieurs jours, et quand le sang, après les premiers coups de patte et les premières morsures, se mit à couler les fauves se jetèrent sur les corps. Les prisonniers tentèrent en vain de fuir.

Ce fut le carnage : membres arrachés, têtes broyées.

Puis les esclaves nettoyèrent l'arène avant que d'autres prisonniers ne soient livrés à d'autres fauves.

La plèbe exultait.

Jamais, au temps de Constance Chlore, elle n'avait assisté à des jeux où tant d'hommes avaient été livrés à la fureur et à l'avidité des bêtes.

Elle hurla les noms d'Ascaric et de Mérogaste, les deux chefs francs dont elle réclamait le sacrifice.

La plèbe les vit enfin s'avancer seuls, nus et désarmés, au milieu de l'arène, et elle se dressa quand les esclaves poussèrent avec de longues piques trois ours dont le pelage était si brun qu'il en paraissait noir. Ils se précipitèrent sur les chefs francs, labourant de leurs griffes crochues leurs corps de vaincus.

L'un d'eux, sous doute Ascaric, cria que Rome, ses césars et ses empereurs, ses peuples seraient châtiés.

Il n'eut pas le temps de menacer du poing la tribune impériale où Constantin se tenait, impassible. Un coup de patte le terrassa.

Dans les jours qui ont suivi ces jeux dont le récit m'avait accablé, j'ai découvert l'orgueil cruel de Constantin.

Il était fier d'avoir offert à la plèbe gauloise le spectacle sanglant qu'elle avait réclamé. Il se rengorgeait d'avoir montré la force implacable de Rome.

J'entendais les tribuns, les magistrats, les serviteurs, qu'ils fussent affranchis ou esclaves, louer Constantin le Grand d'avoir vaincu et châtié en Romain.

Les peuples barbares, Francs, Alamans, Alains, Goths ou Vandales, avaient désormais en face d'eux un césar résolu que les dieux protégeaient et qui, un jour – je lisais dans les yeux et l'attitude de Constantin la même certitude –, serait l'empereur unique et tout-puissant.

Cet homme-là pouvait-il mettre sa volonté et son ambition au service de Christos ?

J'en ai douté et j'ai craint que Dieu ne Se détourne de lui ; que, comme l'avait prédit le chef franc supplicié, il ne soit un jour châtié.

Que resterait-il alors de mon rêve ?

13.

Ce rêve, je n'y ai pas renoncé.

Comment l'aurais-je pu alors que, chaque nuit, le même songe venait me réveiller ?

J'errais dans un labyrinthe obscur. J'entendais les cris des chrétiens suppliciés. Ils m'appelaient de leurs voix brisées par la souffrance. Ils me demandaient de les aider, de sauver leurs enfants du martyre afin que, sur cette terre, l'amour de Christos pût se maintenir et se répandre.

Je poursuivais ma marche, me dirigeant vers ces lueurs rougeâtres. Je découvrais de grandes salles au milieu desquelles, sur des grils, les corps des chrétiens rôtissaient. Plus loin, dans la pénombre, je devinais des fauves broyant entre leurs crocs des nuques, labourant de leurs griffes des torses et des visages.

Tout à coup, je me heurtais à une haute silhouette dont je reconnaissais peu à peu les traits altiers, le nez busqué, la grosse tête, le cou large et court, si bien que la mâchoire du bas semblait prise entre les épaules.

C'était Constantin le Grand auquel je tendais la main.

Il la saisissait et je le guidais dans le labyrinthe qui, à chacun de nos pas, s'élargissait, cependant que les cris s'éloignaient, s'effaçaient.

Enfin c'était l'issue, et, devant moi, une étendue paisible, comme une immense plaine qu'un ciel nocturne mais lumineux éclairait. Et je voyais les étoiles dessiner les deux dernières lettres grecques du nom de Christos, une croix traversée par une ligne verticale recourbée à l'une de ses extrémités.

Je fixais ce signe.

Il m'éblouissait, mais je distinguais à l'horizon la silhouette de Constantin que la croix stellaire paraissait guider et protéger.

Je me réveillais, me précipitais pour scruter le ciel, mais les nuages dérivant le long de la vallée du Rhin occultaient les étoiles.

Ce rêve quotidien occupait toutes mes pensées.

Lorsque j'accueillais les chrétiens qui arrivaient de l'une ou l'autre des provinces d'Orient, d'Illyrie ou de Bithynie, de Phrygie ou de Syrie où ils continuaient d'être pourchassés, traqués, suppliciés, il me semblait qu'ils venaient de s'échapper de ces dédales et de ces salles que j'avais traversés au cours de la nuit.

Je me devais de les aider.

Je m'approchais de Constantin, tentais de lui parler, mais Hésios, son grand prêtre, retenait toute son attention. Il s'adressait à Constantin comme s'il s'était agi d'un dieu, d'Apollon ou bien d'une incarnation de *Sol invictus*, voire de Jupiter.

Il lui disait :

– Notre rempart, ce ne sont pas les tourbillons du Rhin, c'est la terreur que ton nom inspire. Les dieux t'ont choisi, Constantin le Grand !

À peine si celui-ci m'effleurait du regard.

Qu'aurais-je pu dire de différent ?

N'étais-je qu'une voix parmi d'autres ? Mon dieu n'était-il que l'un des innombrables dieux de Rome ? et même le moins ancien ?

Je devinais que Constantin, dans sa lutte contre les empereurs Galère et Sévère et contre le césar Maximin Daia, pensait avoir besoin de tous les dieux, des croyants de toutes les religions, de Jupiter autant que de Christos.

Il comptait sur eux pour renforcer son pouvoir

et il sollicitait les avis de tous les prêtres, Hésios étant le plus écouté parce que serviteur de Jupiter et de *Sol invictus*, l'empereur des dieux romains.

Moi, Denys le chrétien, je devais ma force à la toute-puissance de Christos et à la fidélité des chrétiens dont les communautés, présentes dans toutes les provinces de l'Empire, renaissantes là où la persécution avait cru les extirper, m'envoyaient des messagers qui me renseignaient mieux que les espions de Constantin.

C'est grâce aux lettres que me fit parvenir Marcel, nouvel évêque de Rome, que je pus un jour m'avancer vers Constantin après avoir écarté Hésios, et raconter ce qui était survenu à Rome et en Italie, ce dont personne encore ne lui avait fait le récit.

À Rome, Maxence, fils de Maximien, avait soudoyé les prétoriens, soulevé la plèbe contre l'empereur Sévère. Depuis le règne commun de Dioclétien et de Maximien, les soldats et les citoyens de Rome étaient dévorés par la colère. Rome n'était plus dans Rome. L'empereur d'Orient – Galère, après Dioclétien – vivait dans son palais de Nicomédie. L'empereur d'Occident – Sévère, après Maximien et Constance Chlore –

gouvernait ses provinces depuis Milan ou depuis Trèves, que Constantin avait transformée en capitale, y élevant des constructions immenses et jetant un pont sur le Rhin.

Le Tibre n'était plus qu'un ruisseau, comparé au Rhin, au Danube, au Tigre et à l'Euphrate.

Plus personne à Rome ne payait les prétoriens, ne se souciait des sénateurs ni n'offrait de pain et de jeux à la plèbe.

Maxence avait promis à tous ces mécontents le retour de la grandeur de la ville.

Par une nuit d'octobre 306, il avait ordonné le massacre des partisans de Sévère, l'empereur légitime.

Il s'était fait attribuer par le Sénat le titre de *princeps*, et le nouveau prince avait obtenu des sénateurs et des prétoriens qu'on rappelât de sa retraite du sud de l'Italie son père, Maximien, qui avait abdiqué en même temps que Dioclétien.

Constantin m'avait écouté avec une attention qu'il ne m'accordait plus depuis des mois.

Il était bien cet homme du labyrinthe d'abord soucieux de ses intérêts et porté par son ambition. Il ne reconnaîtrait comme première religion que celle qui l'aiderait à accéder à l'Empire. C'était à moi de lui montrer que les fidèles de Christos

125

étaient ses meilleurs alliés, ses espions les mieux renseignés, ses conseillers les plus avertis et les plus fidèles.

– La guerre civile va se déchaîner en Italie, peut-être même dans tout l'Empire, lui ai-je dit.

C'était le prix que Dieu ferait payer aux persécuteurs. Ils allaient se déchirer comme des chiens errants, chacun d'eux sacrifiant aux dieux de Rome, ces idoles innombrables qui ne parlaient pas aux cœurs des hommes, seulement à leurs désirs.

Les troupes de Sévère, l'empereur légitime, étaient déjà en campagne contre celles du *princeps* Maxence et de son père Maximien qui, dès son arrivée à Rome, avait repris son titre d'empereur.

Mais, de Nicomédie, l'empereur Galère menaçait de se porter au secours de Sévère.

Et il appelait Constantin à entrer en Italie pour y faire respecter, contre Maxence et Maximien, le légitime pouvoir des deux empereurs et de leurs césars contre les usurpateurs.

Hésios m'a empoigné le bras, m'a tiré en arrière et a parlé d'une voix tranchante.

– Les dieux de Rome, a-t-il dit, ont choisi Constantin pour gouverner l'Empire. Il est donc

126

l'allié de Sévère et de Galère, les deux empereurs légitimes. Ses troupes doivent combattre celles de Maximien et de Maxence. Quand l'autorité des empereurs sera rétablie, ainsi que celle des dieux de Rome, Constantin apparaîtra comme le premier d'entre eux.

J'ai libéré mon bras de l'étreinte d'Hésios et ai fait un pas vers Constantin.

— Ne rejoins pas les empereurs persécuteurs, l'ai-je exhorté. Laisse les chiens errants se battre et s'entre-déchirer. Ils s'égorgeront !

Constantin a levé la main, m'a invité à le rejoindre et m'a entraîné dans les allées du jardin qui entourait le palais impérial.

Il a longtemps gardé le silence.

J'ai aperçu, non loin de nous, son épouse Minervina et leur fils Crispus. À quelques pas, comme si elle veillait sur eux, Hélène, la mère de Constantin, grande femme au corps osseux qui avait l'immobilité d'une statue.

— Que peut ton Dieu, Denys ? m'a brusquement demandé Constantin.

— Juge de sa force au courage des chrétiens quand ils subissent les tortures.

— Il y a les *lapsi*, ces déserteurs de ta foi, des apostats. Les chrétiens partagent toutes les faiblesses des hommes.

– La foi en Christos ne meurt pas. Toi et l'empereur Constance, le fils et le père, vous n'avez pas été des persécuteurs. Les chrétiens te seront toujours fidèles. De qui peux-tu, sur cette terre, dans toutes les provinces de l'Empire, être aussi sûr ?

Il m'a dévisagé, son regard et la moue de sa bouche exprimant le doute, puis il s'est éloigné.

Lorsque je suis rentré dans le palais, j'ai appris que Constantin avait décidé de ne pas envoyer de troupes en Italie, de laisser les chiens s'entre-dévorer.

Peu après, un messager chrétien est arrivé de Rome.

Maximien et Maxence avaient tendu un piège à l'empereur Sévère, l'invitant à se rendre à Rome afin de négocier avec lui. Sur la route, des prétoriens romains l'avaient arrêté et étranglé.

Restaient face à face Maximien et Maxence, le père et le fils, « deux chiens avides », me disait le messager. Il ajoutait que les persécutions continuaient, que Marcel, évêque de Rome, avait été battu, arrêté, et que, s'il n'avait été déjà supplicié, il serait à n'en pas douter expulsé de la ville.

Mais personne n'a le pouvoir d'étouffer la foi en Christos et en sa parole.

La communauté chrétienne survivait. Elle se réunissait chaque nuit. Elle priait. Les fidèles ne craignaient ni les supplices ni la mort.

Le messager avait avoué à mi-voix, comme s'il en avait été honteux, qu'il avait souvent désiré qu'on l'arrêtât pour pouvoir offrir sa souffrance et sa fidélité à Christos.

J'ai voulu rapporter ces propos à Constantin, mais, alors que je commençais à parler, il m'a interrompu et, d'une voix forte, s'adressant à tous ses proches, il a annoncé en ricanant qu'il avait reçu les envoyés des deux empereurs, Galère et Maximien. Le premier lui annonçait qu'il s'était mis en route avec ses troupes pour l'Italie afin d'y venger Sévère et de rétablir le pouvoir légitime ; il invitait Constantin à le rejoindre avec ses légions. L'empereur Maximien proposait pour sa part de rencontrer Constantin en Gaule, en Arles.

– J'ai choisi, a dit Constantin.

L'un de ses affranchis m'a prévenu quelques instants plus tard qu'il souhaitait que je l'accompagne en Arles.

Il était encore l'homme du labyrinthe, mais, comme dans mon rêve, j'étais à ses côtés.

14.

J'ai retrouvé en Arles le grand fleuve de mon enfance, ce Rhône tumultueux qui, entre les dunes de sable et les roseaux, se mariait avec la mer sous de grands vols d'oiseaux aux becs noirs et aux ailes blanches.

J'ai marché aux côtés de Constantin dans le vaste emporium qu'était cette ville, l'une des plus anciennes de Gaule. La foule des marchands, des artisans, des porteurs, des marins, des esclaves y envahissait les quais du port, les places, les échoppes, les entrepôts. Là s'entassaient fourrures, cuirs, tissus venus des provinces d'Orient, les amphores de vin grec, le blé d'Afrique, les armes forgées en Illyrie et en Thrace.

La plèbe à la peau basanée s'écartait pour laisser passer Constantin qui, entouré de ses proches et de sa garde prétorienne, avançait d'un pas lent. Elle l'acclamait. Il paraissait ne pas la voir, les yeux fixes, le visage si figé qu'on eût dit celui d'une statue dont on aurait coloré de rose vif les joues imberbes.

On oubliait, en regardant Constantin, sa jeunesse – il avait moins de trente ans –, et on ne retenait que l'autorité, la majesté qui émanaient de sa haute taille, de sa prestance, de sa marche assurée.

Près de lui, Maximien paraissait n'être qu'un arbre rabougri. Il jetait à la foule des regards apeurés comme s'il avait craint qu'elle ne se ruât sur lui pour l'étrangler.

J'ai pensé que cette angoisse qui le tenaillait était le remords que Dieu lui infligeait pour l'embuscade qu'il avait tendue à l'empereur Sévère et pour le meurtre de ce rival qu'il avait ordonné.

Chaque soir, je rencontrais les frères et sœurs de la communauté chrétienne d'Arles.

Depuis plus d'un siècle, ils avaient échappé aux persécutions. Mais ils se souvenaient encore de Blandine et de Pothin, de Sanctus et d'Attale, de Ponticus et d'Alexandre qui avaient péri dans l'amphithéâtre de Lugdunum, et de tant d'autres dont les cendres avaient été jetées dans les eaux du Rhône.

Ils m'entraînaient sur les bords du fleuve et nous priions pour les honorer.

Comme les martyrs, ces chrétiens étaient pour la plupart originaires des provinces de Bithynie, de Palestine, de Syrie, de Phrygie.

Ces marchands syriens, ces artisans phrygiens avaient apporté avec eux la parole de Christos. Elle avait remonté le fleuve jusqu'à Lugdunum, puis, au-delà, à Vienne et à Autun, à Lutèce et jusqu'en Bretagne.

Tous se souvenaient que l'empereur Constance Chlore avait refusé d'être un persécuteur. Ils avaient accordé leur confiance à Constantin parce qu'il était son fils.

Mais ils s'inquiétaient de voir marcher auprès de lui Maximien qui avait, lui, appliqué avec cruauté les édits de Dioclétien.

J'ai murmuré à Constantin :

– Les chrétiens sont tes alliés. Ils te seront fidèles. Maximien te trahira comme il a trahi Sévère.

Je n'ai pas été rassuré par le regard qu'il m'a lancé, dédaigneux comme si je l'avais offensé en lui faisant part de cet avis.

J'ai même pensé – j'ose le dire pour la première fois aujourd'hui – que Constantin aurait été bien capable d'ordonner qu'on suppliciât les chrétiens s'il avait jugé leur persécution utile à ses desseins.

C'est pour cette raison que j'ai répété :

– Les chrétiens sont les plus nombreux, les plus déterminés et les plus unis des croyants. Leur Église est une armée. Ils sont les légions de Christos, et, tu le sais, ils acceptent de mourir pour lui sans un cri. Connais-tu beaucoup de soldats capables d'un tel sacrifice ? Ne l'oublie pas quand tu décideras de la réponse à donner à Maximien.

J'ai attendu. J'ai prié. J'ai guetté, tentant de percer à jour les intentions de Constantin.

Accepterait-il d'envoyer ses légions en Italie afin d'aider Maximien et Maxence à résister aux troupes de l'empereur Galère qui marchaient sur Rome pour en chasser les deux usurpateurs et venger le meurtre de Sévère ?

J'observais les deux hommes qui se tenaient à l'écart, Maximien volubile, Constantin silencieux.

Puis, un soir de l'été 307, alors que le crépuscule ensanglantait le ciel et la mer, j'ai vu Maximien affolé : il allait et venait comme un animal traqué qui sent le cercle des chasseurs se resserrer autour de lui.

J'ai su à cet instant que Constantin n'enverrait pas ses soldats porter secours aux prétoriens de Maxence.

Cette nuit-là, dans mon sommeil apaisé, Constantin est sorti du labyrinthe et a suivi le chemin que lui montrait dans les cieux le signe de Christos.

Mais j'avais oublié que Dieu laisse aux hommes le loisir d'hésiter.

Dans l'aube rose et bleutée, j'ai appris que Constantin avait accepté, au cours de cette nuit tranquille, d'épouser Fausta, la fille de Maximien, une enfant d'une dizaine d'années !

Constantin, dont la mère, Hélène, avait été répudiée par Constance, lequel l'avait abandonnée pour se marier avec Theodora, la belle-fille de Maximien, rejetait à son tour sa compagne, Minervina, mère de son fils, pour devenir l'époux d'une fille d'empereur !

Hésios, le grand prêtre de Jupiter et de *Sol invictus*, approuva avec joie et sacrifia aux dieux de Rome. Constantin, soulignait-il, fils de l'empereur Constance, devenait ainsi l'époux de Fausta, fille d'empereur.

Qui pouvait empêcher qu'un jour il ne fût à son tour le premier dans l'Empire ?

J'étais accablé. Quel empereur serait-il, ce Constantin, entré dans la famille de Maximien le persécuteur ?

Pourquoi Dieu avait-Il toléré cette union qui, je le croyais, allait renforcer le camp des persécuteurs, éloigner encore le moment où l'Empire aurait à sa tête un chrétien ?

Car c'était bien sous la protection des dieux païens qu'allait se célébrer ce mariage.

Je partageais la déception et l'angoisse des chrétiens d'Arles que je rejoignais sur les berges du fleuve.

Constantin n'était-il qu'un empereur pareil aux autres ? N'avait-il pas, à Trèves, offert à la plèbe gauloise des Trévires les jeux les plus sanglants auxquels on eût jamais assisté en Gaule, livrant aux bêtes des centaines de prisonniers francs ?

Je ne pouvais les détromper.

Était-il vrai qu'il sacrifiait à Jupiter, à *Sol invictus* ?

Pourquoi, comme, dans les siècles passés, Néron ou Marc Aurèle, ne satisferait-il pas un jour la plèbe qui réclamait de voir couler le sang des chrétiens ?

Je ne savais que leur répondre.

J'assistai avec inquiétude aux préparatifs du mariage.

Alors que l'hiver était de retour, Arles était

envahie par des représentants de toutes les Gaules venus rendre hommage à celui qu'ils appelaient leur empereur. Ils célébraient avec éclat, par de nombreux sacrifices, les cultes païens de Jupiter et d'Apollon, de Mithra, de Cybèle et d'Isis.

Le sang des bêtes égorgées, éventrées, coulait, et les entrailles fumaient cependant que les prêtres lisaient dans les viscères encore chauds un avenir glorieux pour Constantin.

Fallait-il que nous, chrétiens, nous priions aussi pour lui, pour cet homme qui ne se souciait pas de la mère de son propre fils ? Minervina était-elle morte ? Avait-elle été renvoyée dans sa ville de Drepanum ?

Cependant, les messagers des communautés chrétiennes m'annonçaient que si, à Rome, Maximien et Maxence avaient ordonné qu'on ne pourchassât plus les chrétiens, dans toutes les provinces d'Orient, Galère, rentré d'Italie après avoir été battu par les prétoriens de Maxence, et Maximin Daia, son césar, continuaient de plus belle à les persécuter.

Dans les palais d'Arles, dans les temples et les rues, on s'enivrait, on banquetait, on sacrifiait aux dieux païens, on fêtait ainsi l'union de Constantin et de Fausta.

Et je me suis interrogé : comment changer ce monde encore païen et faire en sorte que la religion de Christos l'irrigue et devienne celle de tout l'Empire ?

Une nuit, j'ai rêvé que j'offrais à Constantin un glaive dont la poignée avait la forme d'une croix.

Et à lui qui le saisissait je disais : « Par ce signe, tu vaincras ! »

Il me souriait, me suivait.

Le lendemain matin, dans l'aube gris-noir d'un jour d'hiver, je me suis rendu auprès des diacres et de l'évêque de la communauté chrétienne.

J'ai dit à chacun d'eux :

– Soyons plus forts, plus nombreux, et que notre Église chrétienne devienne le glaive de Constantin. Alors, alors seulement il reconnaîtra la toute-puissance de Christos, le Dieu unique.

15.

J'ai appris la patience, le silence.

Je suis resté dans l'ombre comme ces rivières souterraines dont on oublie jusqu'à l'existence.

Je laissais Hésios marcher seul auprès de Constantin.

Le grand prêtre célébrait les dieux païens de Rome, Jupiter et *Sol invictus*, Apollon et Mithra. Il présidait au sacrifice, et le sang du taureau qu'on venait d'égorger ruisselait sur le visage, les épaules et la poitrine de Constantin.

La plèbe acclamait le fils de l'empereur, l'époux de Fausta, elle-même fille d'empereur, le « Vainqueur perpétuel », Constantin le Grand.

Je n'étais qu'une eau enfouie mais que mille ruisseaux rejoignent.

Les communautés chrétiennes des provinces de l'Empire accueillaient de nouveaux fidèles, des citoyens romains que désespéraient le désordre rongeant l'Empire et la guerre civile qui menaçait de nouveau.

Les messagers des provinces d'Asie m'apprenaient que, dans son palais de Nicomédie, l'empereur Galère avait désigné l'un de ses conseillers, le général Licinius, comme empereur d'Occident.

Il avait donc refusé de reconnaître le retour de Maximien et de répondre aux attentes de Constantin qui, déjà césar, aspirait lui aussi à cette dignité.

Malgré l'appui des dieux de Rome proclamé et promis par Hésios, c'était donc un autre, ce Licinius, que Galère avait élevé au rang de second empereur.

Ce désordre, ce chaos, ces incertitudes, cette guerre civile étaient le fruit des errements d'hommes qui refusaient le Dieu unique et tout-puissant. Seul celui de ces hommes qui reconnaîtrait le signe de croix régnerait sur l'Empire, rétablirait son unité, serait l'empereur unique et tout-puissant, reflet terrestre de Dieu.

Je le disais et le redisais aux messagers chrétiens afin qu'ils rapportent cette prédiction dans les provinces troublées de l'Empire.

En retour, ils me révélaient qu'en Italie, en Illyrie, en Bithynie, partout les chrétiens qui avaient renié leur foi pour échapper à la persécution, tous ces déserteurs, ces *lapsi*, ces apostats, réclamaient leur pardon, voulaient être à nouveau admis parmi leurs frères et sœurs, dans les communautés qu'ils avaient abandonnées.

Certains exigeaient qu'on les accueillît sans qu'ils eussent à faire pénitence pour leur trahison. Parfois, leur hâte était si grande et leur désir si violent qu'ils manifestaient devant les églises qui, peu à peu, se reconstruisaient.

Leur impatience était à la mesure du désarroi qui saisissait tous les citoyens au spectacle que leur donnaient ceux qui prétendaient les gouverner.

À Rome, sur le champ de Mars, le père et le fils, Maximien et Maxence, s'étaient insultés. Maximien avait tenté d'arracher le manteau de pourpre dont Maxence s'était revêtu. L'un et l'autre prétendaient être les empereurs d'Occident et ils s'étaient battus devant la plèbe. Roulant à terre, ils s'étaient griffés. Et Maxence avait ordonné à ses prétoriens de s'emparer de son père qui, protégé par ses propres gardes, avait réussi à fuir, à quitter Rome, à embarquer à Ostie pour se réfugier en Arles, auprès de Constantin, désormais son beau-fils.

J'avais vu débarquer sur les quais de l'emporium cet homme hagard, gesticulant, maudissant
son fils et l'empereur Galère qui avait osé désigner contre lui – « contre toi aussi, Constantin ! »
avait-il hurlé – ce Licinius.

Le fleuve souterrain enflait, grondait.

Le désordre se propageait comme une peste. À
chaque jour son bubon, son abcès purulent.

Les chrétiens de la province d'Afrique m'annonçaient que le préfet de Carthage, Lucius
Alexander, avait rejeté la tutelle de Rome, gouver-
née par des usurpateurs, et s'était fait désigner par
ses soldats empereur d'Afrique. C'était lui, désormais, qui contrôlait les terres à blé, les moissons
nécessaires à l'alimentation de Rome et d'une
grande partie de l'Empire.

Les chrétiens de la province de Syrie m'apprenaient que le césar Maximin Daia, neveu de
l'empereur Galère, s'était proclamé empereur
d'Antioche, et les cohortes et la plèbe l'avaient
acclamé. Devant les temples, il avait sacrifié aux
dieux de Rome pour les remercier et appeler sur
lui leurs bienfaits et leur protection.

C'était l'automne tourmenté et pluvieux, glacé
déjà, de l'an 308.

Nous avions quitté Arles pour Trèves sous un ciel noir.

Dioclétien, le vieil empereur, avait réuni autour de lui, dans la ville de Carnuntum, au bord du Danube, ceux qui prétendaient au titre d'empereur. Il avait suffi que trois années s'écoulent après son abdication pour qu'à l'ordre de la tétrarchie succède le chaos.

Constantin n'avait pas voulu se rendre à Carnuntum, même si les soldats de cette ville de garnison lui étaient dévoués. Il savait qu'il n'était que trop facile de tuer un homme loin des regards.

Lorsqu'il a appris que Dioclétien, lui qui ne disposait plus d'aucun pouvoir, avait décrété que seuls seraient empereurs Maximien, Galère et Licinius, j'ai vu son visage rosir et une moue de dégoût et de colère déformer sa bouche.

À cet instant, Hésios, qui se tenait auprès de lui, a lancé d'une voix mal assurée :

— Les dieux de Rome t'ont fait empereur !

Je me suis alors avancé. J'ai défié Constantin du regard.

J'étais l'eau souterraine qui tout à coup jaillit.

J'ai dit :

— Les dieux païens ont aussi choisi six autres empereurs ! Tu n'es, si tu les crois, que le septième.

J'ai vu les doigts de Constantin se crisper, et, comme pour contenir sa fureur, il a croisé les bras, gardant les poings serrés.

— Tu veux être l'Unique sur cette terre, comme il n'existe au-dessus d'elle qu'un Dieu unique ? ai-je poursuivi. Alors, n'oublie pas Christos, le Tout-Puissant, le Ressuscité, et tu seras ce à quoi tu aspires : Constantin le Grand, empereur du genre humain !

QUATRIÈME PARTIE

16.

J'avais semé dans l'âme de Constantin, mais j'ai dû attendre longtemps avant que la moisson ne lève.

Et j'ai craint que Constantin ne refuse de choisir entre les dieux païens et Christos, qu'il ne continue de sacrifier à Jupiter et à *Sol invictus*, qu'il n'écoute Hésios vénérer et célébrer en lui Apollon.

Constantin veillait même à tenir la balance égale entre Hésios et moi, invitant chacun de nous à s'asseoir à ses côtés dans la grand-salle du palais impérial, à Trèves.

Il restait entre nous, immobile, fixant les flammes qui crépitaient, bleutées, dans la cheminée. L'écorce des énormes troncs qui se consumaient éclatait souvent, laissant jaillir des poignées d'étincelles.

– La chaleur vient de toutes les flammes, murmurait Constantin. On ne peut choisir l'une contre l'autre.

Il ne tournait la tête ni vers moi ni vers Hésios.

Mais Hésios l'approuvait. Chaque dieu avait sa place et jouait son rôle dans l'Univers, disait-il, même si Jupiter et *Sol invictus* régnaient sur toutes les autres divinités. Mais aucune ne devait être exclue.

— Toutes les flammes, tous les dieux, Constantin, répétait Hésios. Tu parles avec la sagesse du *Pontifex Maximus* que tu es, et bientôt tout l'Empire te reconnaîtra.

Je me taisais. Je savais que l'heure n'était pas encore venue pour moi de proclamer une nouvelle fois que la croyance au Dieu unique, à Christos, homme et Dieu, mortel et ressuscité, excluait toutes les autres.

Je comprenais que Constantin ne souhaitait pas choisir entre les flammes, qu'il ne distinguait pas la plus haute, la plus pure, qu'il était de ceux qui croient enrichir leur récolte en ne séparant pas le bon grain de l'ivraie païenne.

Je ne pouvais exiger cela de lui.

Les graines de la foi en Christos n'avaient pas encore percé la croûte terrestre. Le blé n'apparaissait pas encore différent de l'herbe râpeuse ; l'épi, de la ronce.

Je devais donc rester auprès de lui dans ces

courtes journées et ces longues nuits noires de l'hiver 309.

Nous quittions souvent le palais impérial pour chevaucher le long du Rhin afin de traquer les hordes d'Alamans, de Bauctères, de Goths, de Chamaves, de Chérusques qui traversaient le fleuve, profitant du brouillard, des bourrasques de neige et de la nuit. Ils contournaient les postes de guet, évitaient les patrouilles et s'enfonçaient loin, attaquant les villages, pillant, massacrant jusqu'aux abords de la Seine.

Constantin s'élançait toujours le premier quand, enfin, les cohortes avaient réussi à encercler l'une de ces bandes.

Je ne participais pas au carnage mais détournais la tête pour ne pas voir ces hommes qu'on égorgeait ou bien qu'on enchaînait, les destinant aux combats dans l'amphithéâtre où, à chaque retour de Constantin, la plèbe gauloise célébrait ses nouvelles victoires.

J'étais accablé.

J'observais Constantin qui assistait à ces jeux sanglants sans que son visage exprimât autre chose que l'ennui.

Il n'était pas cruel.

Je l'avais vu accueillir en Arles, avec compassion, le vieil empereur Maximien, en guerre avec son fils Maxence. Constantin avait refusé d'écouter Fausta, son épouse, fille de Maximien, qui l'incitait à se défier de son propre père. Elle accusait celui-ci de n'être mû que par le goût du pouvoir et prêt, pour le reconquérir, à toutes les trahisons, voire au meurtre. Elle avait conseillé à Constantin de chasser Maximien de Gaule, de le renvoyer en Italie où son fils Maxence – ou bien Licinius, cet empereur d'Occident nommé par Galère – le traiterait comme il le méritait. Mais Constantin avait répondu qu'il continuerait d'offrir son hospitalité et sa protection à Maximien.

Sa mère, Hélène, elle aussi soupçonneuse et inquiète, n'avait pu le faire fléchir.

L'âme de Constantin était une bonne terre pleine de clémence, mais prête cependant à se durcir, à prendre des décisions implacables et même cruelles dès lors que sa marche vers le pouvoir impérial était entravée.

Et, je m'en persuadais à chaque instant, il ne reconnaîtrait la toute-puissance du Dieu unique que si elle lui apparaissait utile à sa cause, si les chrétiens lui avaient démontré qu'ils étaient ses plus fidèles et efficaces partisans.

Christos nous mettait au défi de le lui prouver.

J'ai cru que j'allais y parvenir quand j'ai reçu et entendu Cyrille.

C'était un messager de la communauté chrétienne d'Arles. Il parlait difficilement, les mots se heurtant dans sa bouche, car le souffle lui manquait. Il avait remonté les fleuves aussi vite qu'il avait pu, fuyant devant les soldats envoyés à ses trousses par Maximien.

J'écoutai avec émotion ce petit homme malingre au teint basané. C'était un Grec d'Égypte qui s'était installé en Arles, échappant ainsi aux persécutions de Dioclétien et à celles de Maximin Daia.

Il priait chaque jour pour Constantin qui, comme son père, Constance Chlore, n'avait jamais pourchassé les chrétiens, et le fait qu'il fût païen ne le troublait pas.

— Constantin ne le sait pas lui-même, disait-il, mais il est chrétien, et un jour il sera frappé par l'éclair de lumière. Il marche vers le baptême.

Les chrétiens de Gaule, de Bretagne et d'Espagne partageaient tous ce sentiment.

Cyrille et ses frères et sœurs d'Arles avaient été accablés quand Maximien avait annoncé que les Barbares germaniques, au cours d'une bataille, avaient tué Constantin.

Maximien avait soudoyé les soldats et s'était fait acclamer comme empereur d'Occident. Ne l'avait-il pas été déjà par deux fois, désigné par Dioclétien ? Les chrétiens s'étaient rassemblés, avaient prié, désemparés, puis s'étaient étonnés de ne pas avoir reçu de messagers des communautés chrétiennes de Trèves, d'Autun, de Vienne, de Lugdunum qui eussent dû être averties les premières du trépas de Constantin.

En Arles, Cyrille avait été désigné pour se rendre à Trèves.

Maximien l'avait appris et son attitude avait alors révélé sa supercherie. Il avait interdit le voyage, fait encercler Arles par des cohortes fidèles, et menacé de mort tous ceux qui tenteraient de sortir de la ville.

Cyrille y était parvenu, et, aidé par les communautés chrétiennes des bords du Rhône, de la Saône et du Rhin, était arrivé jusqu'à Trèves, apportant ainsi la nouvelle du mensonge et du coup de force de Maximien qui, avec les trésors de la ville dont il s'était emparé, avait commencé à constituer une armée pour étendre son pouvoir à toutes les Gaules.

J'ai conduit Cyrille jusqu'à Constantin.

Il a écouté et, comme chaque fois que l'émotion ou la colère s'emparait de lui, son visage s'est couvert de taches rosâtres. Ses traits se sont durcis et tout son corps s'est raidi.

Il a intimé d'un geste à Fausta de se taire alors qu'elle répétait que son père avait l'âme d'un traître prêt à tout – vol, meurtre – pour s'emparer ou conserver le pouvoir. Selon elle, il trahissait Constantin qui l'avait accueilli tout comme il avait trahi son fils Maxence, mais, si les circonstances l'exigeaient, il n'hésiterait pas à renouer avec ceux qu'il avait combattus, Maxence ou Licinius, l'empereur d'Occident.

Constantin n'a pas prononcé une seule parole et ne m'a pas même répondu quand j'ai dit que Cyrille le chrétien avait bénéficié, tout au long de son parcours, de l'aide de toutes nos communautés, que tous les fidèles de Christos se rassemblaient derrière lui, Constantin, qu'ils souhaitaient voir régner sur l'Empire.

– Souviens-toi que les chrétiens sont derrière toi, lui ai-je répété.

17.

J'ai prié pour la victoire de Constantin sur Maximien, le traître et l'usurpateur.

Quand il a voulu que Cyrille et moi chevauchions à ses côtés à la tête des cohortes, j'ai cru qu'il avait reconnu la toute-puissance de Christos dont nous étions les fidèles serviteurs.

Puis Hésios nous a rejoints et Constantin l'a accueilli avec les mêmes gestes de bienveillance et de reconnaissance.

Le soir, quand l'armée faisait halte et dressait le camp dans la brume glacée, sur le sol gelé, Constantin, après nous avoir entendus prier, s'approchait d'Hésios et participait aux sacrifices en l'honneur de Jupiter, de *Sol invictus* et d'Apollon.

Et il en fut ainsi de Trèves à Chalon, du Rhin à la Saône.

Puis nous avons embarqué sur des navires à la coque renflée qui descendaient les fleuves, et les soldats ont commencé à ramer pour atteindre plus vite le Rhône, puis Arles et la mer.

À Lugdunum, sur les quais de mon enfance, des messagers des communautés chrétiennes d'Arles et de Massalia nous attendaient.

Maximien, disaient-ils, avait appris que l'armée de Constantin s'était mise en route et qu'elle approchait, portée par le fleuve qu'elle creusait à coups d'aviron. Ce n'était plus qu'un vieillard affolé qui tentait de rassembler ses troupes, commençait à se replier vers Massalia, songeait à s'embarquer pour l'Italie et à y renouer avec son fils Maxence.

Constantin a écouté ces messagers.

– Les chrétiens sont tes yeux, lui ai-je remontré.

Pour la première fois depuis l'annonce du coup de force de Maximien, il a souri.

– Les yeux ne suffisent pas, a-t-il répondu.

Il a crispé les doigts sur la poignée de son glaive, l'a brandi.

– J'ai aussi besoin du glaive, a-t-il ajouté.

– Sans les yeux, ton armée n'est qu'une aveugle errante et impuissante. Tu ne pourras vaincre.

Il a détourné la tête.

Nous avons débarqué peu après sur les quais de l'emporium d'Arles, accueillis par la plèbe gauloise qui acclamait celui qu'elle appelait Constantin le Grand, son empereur. Les partisans de Maximien avaient quitté la ville et s'étaient réfugiés derrière les hautes murailles de Massalia.

Déjà les chrétiens de cette ville, grecs pour la plupart, venaient à nous et décrivaient l'affolement de Maximien, les hésitations de ses soldats dont la plupart voulaient se rendre à Constantin, lui prêter serment d'allégeance, trompés qu'ils avaient été par l'annonce de sa mort.

Ils nous ont guidés vers les portes de Massalia, mais Constantin, impétueux, a voulu donner l'assaut, dressant des échelles trop courtes contre les fortifications du port. Et quelques soldats encore fidèles à Maximien ont suffi pour repousser nos cohortes.

Les chrétiens ont entouré Constantin. Ils allaient, dirent-ils, pénétrer dans la ville dont ils connaissaient toutes les issues. Si Constantin promettait le pardon, ils obtiendraient le ralliement des troupes et Maximien ne serait plus qu'un homme seul.

Constantin a regardé les échelles brisées de son assaut manqué, les légionnaires blessés.

– Écoute les chrétiens, ai-je dit. Ce sont tes soldats.

Il s'est tourné vers Hésios.

– Les dieux te sont favorables, a murmuré le prêtre de Jupiter et d'Apollon.

Il y eut, durant tout un jour, des allées et venues entre la tente de Constantin et Massalia.

Les chrétiens passaient de l'une à l'autre. Les soldats retranchés derrière les murailles voulaient, avant d'abandonner Maximien, être rassurés. Ils connaissaient le sort qu'on réservait aux vaincus : on les forçait à s'agenouiller et on les égorgeait. Les soldats étaient prêts, en gage de soumission à Constantin, à livrer Maximien, mais celui-ci devait avoir la vie sauve.

Je n'ai pas entendu la voix de Constantin.

Il a simplement baissé la tête comme s'il consentait, par ce geste, aux exigences des soldats de Maximien.

À la fin du jour, ils ont ouvert les portes de la ville et ont poussé devant eux ce vieil homme tremblant et pitoyable qui avait été empereur d'Occident et avait voulu retrouver l'ivresse du pouvoir.

Constantin le silencieux l'a regardé s'avancer, puis a lancé quelques ordres pour que l'on conduisît Maximien, son beau-père, au palais impérial, en Arles, où on le placerait sous bonne garde.

On était en février 310. La plèbe gauloise, en liesse, acclamait Constantin le Grand. Les chrétiens avec qui je priais, en ces jours qui s'allongeaient sous un ciel que le crépuscule rosissait, célébraient Constantin le clément, l'empereur qui jamais n'avait persécuté les fidèles de Christos, mais savait, comme un chrétien, pardonner.

C'est le lendemain qu'on a retrouvé Maximien étranglé.

Les mains du vieillard étaient crispées sur les extrémités d'une cordelette qu'il avait tant serrée autour de son cou qu'elle s'était comme incrustée dans la chair bleue.

On assura que, pris de remords, il avait mis fin à ses jours, en Romain qui va au-devant de la mort quand le sort lui est défavorable.

Constantin présida aux funérailles, impassible.

Et la plèbe répéta ce qu'Hésios avait été le premier à formuler : que les dieux châtiaient ceux qui se dressaient contre l'homme qu'ils avaient choisi pour régner sur l'Empire.

Cyrille le chrétien crut lui aussi que Maximien s'était suicidé ; Christos, ajoutait-il, l'avait laissé se châtier lui-même.

J'avais observé Constantin au moment où l'un de ses tribuns militaires était venu lui annoncer que les gardes avaient découvert le corps inanimé de Maximien.

Le temps d'un regard, j'avais saisi ce mouvement de la bouche qui esquissait un sourire, puis il m'avait remarqué et ses traits s'étaient figés.

Je n'ai donc jamais pu croire au suicide de Maximien.

Et, cependant, j'ai continué à prier pour Constantin que tous les chrétiens d'Espagne, de Bretagne et de Gaule considéraient désormais comme leur protecteur.

Je les ai vus au premier rang de ces foules gauloises qui, dans toutes les villes traversées entre Arles et Trèves, acclamaient Constantin le Grand, l'empereur des Gaules, promis au statut d'empereur du genre humain.

De triomphe en triomphe, Constantin se transformait. Ses gestes devenaient plus lents, son regard plus fixe, semblant toujours scruter un point à l'horizon. Son visage qui déjà n'exprimait que peu les émotions – c'est à peine si ses joues et son front rosissaient – restait le plus souvent figé. Son corps était plus majestueux, exprimant la force et l'obstination. Il ressemblait déjà, avant

même d'être à la tête de l'Empire, à une statue
d'empereur victorieux.

Peu avant l'arrivée à Trèves, alors que nous
abordions, dans une bourrasque de neige, les premières pentes des Vosges, Hésios a chuchoté
quelques mots à Constantin.

Celui-ci a hésité puis a donné l'ordre à l'armée
de poursuivre sa route vers Trèves, et, avec ses
prétoriens, il a gagné la forêt.

Il s'est tourné vers moi qui le suivais. Il m'a
longuement regardé et il y avait du défi dans ses
yeux.

J'ai cru qu'il allait m'ordonner de rejoindre le
gros des troupes, mais il m'a laissé continuer à
ses côtés, atteindre le temple de Grannum dédié
à Apollon.

Sur un plateau enneigé battu par les vents,
encerclé de forêts, j'ai découvert une enceinte
fortifiée au centre de laquelle se dressait une austère construction dont la coupole, les colonnes,
les murs étaient de pierre rose entrecoupée çà et
là de blocs de marbre blanc.

C'était le temple dans lequel les peuples gaulois des Leucques et des Lingons venaient honorer leurs dieux au milieu du jaillissement de
sources d'eau chaude, en ce pays de froid et de

gel. Là avait été dressée, après la conquête romaine, une statue d'Apollon, et c'est à elle qu'Hésios voulait que Constantin sacrifiât.

Je ne suis pas entré dans le temple. J'ai entendu les chants des prêtres. J'ai su plus tard que Constantin avait voulu faire une libation à Apollon pour le remercier de sa victoire sur Maximien.

Puis il a décidé de consulter l'oracle du temple et, pour cela, de passer une nuit dans le sanctuaire, de se purifier dans les bassins sacrés.

Lorsque j'ai entendu ce récit fait avec emphase par Hésios, j'ai souffert dans ma foi comme si Constantin avait trahi tous ces chrétiens qui s'étaient placés à son service, et qu'il repoussait loin de lui en affirmant sa fidélité aux dieux païens.

Il avait reçu le baptême païen, il s'était soumis aux rites du culte d'Apollon.

Les prêtres et prêtresses avaient enveloppé son corps nu de grands linges et l'avaient laissé s'endormir au pied de la statue.

Par Hésios, j'ai connu ses rêves.

Constantin avait vu à trois reprises Apollon, rayonnant dans une lumière éblouissante, s'approcher de lui afin de le couronner.

Et les prêtres d'Apollon et Hésios, après avoir

écouté la description de ce songe, lui avaient annoncé qu'Apollon avait voulu par là lui révéler qu'il régnerait sur l'Empire trois fois dix ans.

Puisqu'il avait été proclamé pour la première fois empereur par ses troupes de Bretagne en 306, il gouvernerait l'Empire jusqu'en 336 ou 337. Et Hésios avait martelé qu'Apollon, au nom de Jupiter et de *Sol invictus*, avait signifié que Constantin avait été choisi pour édifier un nouvel empire.

En écoutant Hésios, j'ai tremblé, le corps couvert d'une sueur glacée. C'était comme si la victoire avait été volée aux chrétiens et à Christos par les divinités païennes.

J'ai prié. J'ai chevauché loin de Constantin, les yeux fermés, me laissant guider par ma monture.

Puis, tout à coup, une main m'a frôlé. Constantin était près de moi. Il me regardait sans prononcer un mot, mais sa main pesait sur mon épaule.

Et, à cet instant, j'ai été rasséréné.

Qui connaissait tous les visages de Dieu ?

Qui pouvait imaginer le chemin qu'Il prendrait pour s'adresser à l'âme d'un homme ?

18.

Je n'ai cessé de m'interroger, les jours suivants, sur la manière dont le Dieu unique et ressuscité, notre Christos, pouvait se présenter aux hommes, non pour se dissimuler ou les tromper, mais pour parler une langue que ces païens comprendraient, leur montrer un visage comme ceux de ces idoles pour lesquelles ils sacrifiaient, qu'ils honoraient de leurs libations et de leurs offrandes, et qu'ils craignaient.

J'ai regardé d'un œil différent ces hautes statues de marbre blanc qui représentaient Jupiter, Apollon ou *Sol invictus*. Notre Christos pouvait-il, le temps d'un rêve, prendre la forme de ces divinités pour que les hommes s'habituent à l'idée d'un Dieu souverain, créateur et ordonnateur du monde ?

Ces statues étaient dressées dans la nouvelle basilique de Trèves que Constantin avait fait construire, vaste comme une immense nef retournée. Le marbre veiné de noir et de rouge y voisinait avec le granit gris et le grès rose.

La lumière chaude, dorée de ce 1er août 310 illuminait la statue d'Apollon, et Constantin couronné se tenait à quelques pas, irradié par la lueur solaire.

Hésios officiait, rappelant une nouvelle fois l'apparition d'Apollon, les trois couronnes qu'il avait offertes à Constantin, comment ce rêve annonçait le long règne de trois fois dix ans de celui qui serait empereur, qui bientôt entrerait dans Rome en triomphateur.

La foule des Bretons, des Hispaniques, des Gaulois emplissait la basilique. Chacun des représentants de ces peuples s'agenouillait devant Constantin et baisait un pan du manteau pourpre de celui qu'il voulait comme empereur à Rome.

Et Hésios répétait que le temps était venu.

Hors de la basilique, le long du fleuve, les bateaux étaient alignés bord contre bord. Les marins ont acclamé Constantin. Les trompettes ont accompagné le défilé des cohortes, enseignes dressées.

Les soldats s'étaient rassemblés sur le nouveau forum, face aux falaises de grès qui plongeaient dans les eaux grises de la Moselle. Constantin, sortant de la basilique, s'est avancé, son manteau pourpre drapé sur sa tunique blanche frangée d'or.

Il fut ovationné comme un dieu.

Sa vigueur d'homme jeune, sa démarche lente et majestueuse, sa haute silhouette et sa tête massive, sa force de combattant qui, dans l'arène, avait affronté les gladiateurs et les ours, et dans les forêts les guerriers germaniques, m'ont impressionné comme si, en lui, j'avais vu plus qu'un homme. Et j'ai été plus que jamais persuadé qu'il était celui que Christos avait choisi pour faire de l'empire de Rome un empire chrétien.

Au lendemain de ces fêtes qui avaient célébré la victoire de Constantin sur Maximien et la prophétie du dieu Apollon, j'ai reçu des envoyés des communautés chrétiennes d'Italie, de Thrace, de Bithynie et de Syrie. Les nouvelles qu'ils apportaient confirmaient que, dans toutes les provinces de l'Empire, les chrétiens espéraient la victoire de Constantin sur ses rivaux.

Ils décrivaient le désarroi, les hésitations, la fureur, le désespoir même de Maxence, de Galère, de Maximin Daia, de Licinius, ces hommes qui, à Rome, à Nicomédie, à Antioche, affrontaient la colère, la rébellion de leurs peuples, et savaient qu'un jeune empereur, Constantin, que l'on disait protégé par Dieu, rassemblait ses troupes en Gaule.

J'appris qu'à Rome Maxence, qui avait réussi à vaincre Lucius Alexander, lequel s'était prétendu empereur d'Afrique, devait affronter la révolte de la plèbe romaine. Il avait fait massacrer près de six mille Romains par ses prétoriens mais se sentait si menacé qu'il avait cessé de persécuter les chrétiens, essayant d'obtenir leur soutien.

J'en ai fait part à Constantin.

Je l'informais que Galère était dévoré par la maladie. Des abcès grouillant de vers rongeaient ses parties intimes. Je répétai ce que m'avait rapporté le messager des sentiments des chrétiens devant sa maladie. Pour eux, l'empereur Galère, qui avait tant persécuté les fidèles de Christos, était, par une juste vengeance divine, à son tour soumis à la torture : ses entrailles tuméfiées se répandaient hors de lui.

Au milieu des souffrances il avait, comme pour obtenir le pardon de Dieu, promulgué un édit de tolérance, affiché dans le palais impérial le 30 avril 311.

Dans le même temps, sa cruauté continuait néanmoins de s'exercer. Il faisait égorger ses médecins, ceux qui vomissaient en découvrant son corps déjà en putréfaction et ceux qui étaient incapables de le guérir.

Mais, pour se racheter, il reconnaissait humblement que les édits pris contre les chrétiens n'avaient pu les réduire, et qu'ils persistaient dans leur « folle impiété ».

Ma voix tremblait en lisant à Constantin cet édit qui était l'aveu de la défaite païenne.

« Nous sommes disposés à étendre jusque sur ces infortunés chrétiens les effets de notre clémence ordinaire », écrivait Galère, en proie au supplice d'un corps qui se défaisait et dont les vers déjà se repaissaient.

– Christos a vaincu, ai-je murmuré. Nos martyrs sont victorieux !

Et j'ai, détachant chaque mot, scandé les phrases proclamant la victoire chrétienne :

« Nous permettons donc aux chrétiens, poursuivait Galère, de professer librement leur doctrine particulière et de s'assembler sans crainte et sans danger, pourvu qu'ils conservent toujours le respect dû aux lois et au gouvernement établi. Nous espérons que notre indulgence engagera les chrétiens à offrir leurs prières à la divinité qu'ils adorent pour notre sûreté et pour notre prospérité, pour leur propre conservation et pour celle de l'Empire. »

– L'Empire a besoin de la prière des chrétiens, ai-je ajouté. Les empereurs d'hier nous ont jetés aux bêtes, ils nous ont crucifiés, et l'un de ceux qui prétend être leur successeur nous appelle à prier pour l'Empire ! Il se repent, mais est-il encore temps pour lui ? Dieu offre à chacun l'occasion de racheter ses fautes, de choisir le juste chemin, mais il ne faut pas laisser passer ce moment, il faut écouter le message de Dieu et saisir Sa main quand Il la tend.

J'ai annoncé à Constantin, quelques jours plus tard, la mort de Galère.

Son corps s'était décomposé, masse de graisse et de chair grouillante de vers, laissant échapper des odeurs pestilentielles.

Constantin comprendrait-il cette leçon ?

– Il ne suffit pas de ne pas avoir été un persécuteur, ai-je ajouté. Encore faut-il empêcher les persécuteurs de régner.

Or je savais qu'à Antioche Maximin Daia refusait d'appliquer l'édit de tolérance pris par son oncle Galère.

C'étaient la folie et la peur entretenues par les chrétiens qui le lui avaient dicté, prétendait-il. Mais lui, Maximin Daia, était d'une autre trempe, clamait-il. Dans les provinces qu'il gouvernait, de

170

la Syrie à l'Égypte, il poursuivait les chrétiens avec une frénésie redoublée. À Alexandrie, à Antioche, chaque jour, des dizaines d'entre eux étaient égorgés, livrés aux bêtes, crucifiés, brûlés ou décapités.

Cyrille avait dressé la liste de ces martyrs.

Il m'a supplié de m'adresser à Constantin, de lui parler de l'évêque Sylvain d'Emèse, de Lucien, un prêtre d'Antioche, de Pierre d'Alexandrie, tous hommes justes, bons et sages, torturés et exécutés par les bourreaux de Maximin Daia.

— Tu es le seul, Constantin, à pouvoir empêcher les persécuteurs de sévir. Tous te haïssent et te craignent. Maxence répète que tu as fait assassiner son père, Maximien, et il veut se venger. Licinius ne dit rien mais t'observe comme un fauve prudent. Maximin Daia est une bête féroce, la plus cruelle de toutes. Tandis que les chrétiens, Constantin, sont partout tes alliés ! Tu dois agir.

Il a sobrement murmuré :

— Quand le moment sera venu, j'agirai.

19.

Je murmurai : « Le moment est enfin venu ! »
et j'en remerciai Dieu.

Je tenais fermement les rênes de mon cheval et
me retournais.

Je ne rêvais pas.

Derrière moi s'avançait l'armée de Constantin.

Je voyais cette colonne d'hommes, de cavaliers, de chariots. Le métal des armes, des casques
et des armures brillait sous le soleil de cette journée d'août de la trois cent douzième année après
la naissance de Christos.

Souvent, enveloppant les sommets d'une char-
pie noirâtre, les nuages d'orage voilaient le ciel.
La foudre fendait l'horizon. Les grondements du
tonnerre roulaient de vallée en vallée. La pluie
tombant en violentes rafales transformait l'étroit
chemin en torrent.

J'apercevais devant moi le dos et la nuque
raide de Constantin. Il continuait d'avancer au

même pas, sa tunique trempée collant à ses larges épaules, son armure ternie ne scintillant plus. Émanaient de lui la détermination et l'obstination qu'exprimait son corps sur lequel ruisselait, sans paraître le mouiller, l'averse.

Puis le soleil à nouveau imposait sa loi. L'or de l'armure de Constantin m'aveuglait. Je détournais les yeux. Au flanc de la montagne serpentait une traînée brillante : l'armée en marche.

Il me semblait que c'était la trace de Dieu sur notre terre.

Je m'approchais de Constantin, le flanc de mon cheval frôlant sa monture.

Il regardait droit devant lui, sans paraître remarquer ma présence ni entendre ce que je lui disais : à savoir que Dieu le protégeait, les chrétiens de tout l'Empire priaient pour lui, et Christos les avait entendus.

Nombreux étaient ceux qui avaient quitté l'Italie, désertant l'armée de Maxence, cet empereur qui pourtant ne les persécutait plus. Mais comment les chrétiens auraient-ils pu oublier les supplices que leur avaient infligés les bourreaux sur ordre de Maximien et de Maxence, le père et le fils obéissant à Galère ?

Maximien comme Galère étaient morts. Galère

s'était repenti, Maxence appliquait l'édit de tolérance. Mais trop tard : les chrétiens n'avaient
confiance qu'en Constantin, fils de Constance
Chlore.

Quand Maxence avait proclamé qu'il voulait
venger Maximien, entrer en Gaule, y écraser l'armée de Constantin, quand il avait fait abattre à
Rome les statues de celui-ci, tous les chrétiens,
y compris les hésitants, étaient devenus ses
ennemis.

Maintenant ils faisaient partie de cette armée
de quarante mille hommes que Constantin n'avait
eu aucune peine à rassembler.

Les Gaulois et les auxiliaires germains composaient la cavalerie légère. Les Bretons, les Hispaniques, les Gaulois encore et les Italiens
formaient les cohortes.

Le soir, au camp, les chrétiens priaient Christos ; les païens, Apollon, Jupiter et *Sol invictus*.

Constantin allait des uns aux autres et écoutait,
impassible, les chrétiens appeler la protection de
notre Dieu unique et tout-puissant.

Il assistait aux sacrifices des païens devant
l'autel dressé pour célébrer Apollon. Il laissait
Hésios lui présenter la couronne irradiée d'Apollon, mais, d'un simple hochement de tête, il avait
accepté que les soldats chrétiens dessinent sur

175

leur bouclier le signe de Christos, les deux lettres grecques rappelant son nom, celles que j'avais vues, éclatantes, dans mon rêve.

Nous avons ainsi franchi les cols des Alpes, et, avec les jours pluvieux de l'automne, nous sommes entrés en Italie dans ce qui avait été autrefois la province de Cisalpine. Et les villes sont tombées les unes après les autres. Parfois, il a fallu néanmoins livrer combat, comme devant Turin.

Je n'étais pas un soldat, mais j'ai voulu suivre Constantin alors qu'il chargeait, à la tête de la cavalerie gauloise et germanique, les escadrons lourdement cuirassés de l'armée de Maxence.

Je n'avais pas d'arme ; je ne voulais pas tuer, mais je ne craignais pas non plus la mort qui me conduirait auprès de Christos.

La cavalerie de Maxence a été rapidement dispersée et nous avons continué notre marche sur Milan qui ouvrit ses portes : les chrétiens y étaient déjà si nombreux qu'ils avaient chassé les partisans de Maxence, et ils accueillirent Constantin comme le libérateur de l'Italie, le juste empereur, le restaurateur de la paix, Constantin le Grand, celui par qui la religion de Christos deviendrait la religion de l'Empire, l'empereur qui jamais n'avait persécuté les chrétiens.

J'observais Constantin alors que les chrétiens le reconnaissaient ainsi comme le protecteur qu'ils attendaient, celui que Dieu avait choisi et qu'Il conduirait à la victoire. Je le voyais plisser les paupières comme pour donner plus d'acuité à son regard, voir plus loin, imaginer l'avenir.

Il avait contre lui l'armée de Maxence qui comptait encore, malgré ses premiers revers, plus de cent cinquante mille hommes : des prétoriens de Rome, des Numides qui avaient vaincu l'empereur d'Afrique, Lucius Alexander, des Daces et des Parthes. Maxence espérait aussi que Licinius, l'empereur d'Orient désigné par Galère et Maximin Daia, se liguerait avec lui.

Sous peine de voir se constituer cette alliance, Constantin devait donc au plus tôt battre Maxence. Et, pour cela, entrer dans Rome.

Mais il fallait d'abord ne pas laisser dans la vallée du Pô des places fortes aux mains des partisans de Maxence. Il fallait les conquérir les unes après les autres – et la dernière était Vérone.

Derrière les murailles de la ville, le général Ruricius Pompeianus, fidèle de Maxence, attendait l'assaut, décidé à ne pas s'aventurer hors des murs.

Les soldats chrétiens se sont approchés des

remparts, brandissant leurs boucliers marqués du signe de Christos. Ils ont défié Pompeianus et ses soldats : les païens avaient-ils peur du Dieu des chrétiens ? Ne faisaient-ils plus confiance à leurs divinités ? Étaient-ils des lâches ?

Les chrétiens criaient : « Regardez le ciel ! Il dit votre défaite ! »

Depuis que nous avions franchi les Alpes, le firmament était en effet plein de signes étranges. Des étoiles inconnues brillaient jusque dans la lumière du jour, et dessinaient au-dessus de l'horizon, associées au croissant de la Lune, le signe de Christos, la croix traversée par une verticale recourbée. Ainsi, les boucliers marqués du même emblème semblaient refléter le ciel.

À la fin, défiés, harcelés, les cavaliers de Ruricius Pompeianus sont sortis de Vérone et ont tenté de briser le siège, d'enfoncer les rangs de nos cohortes, de mettre en déroute les cavaliers gaulois et germains. Mais aucune ligne n'a cédé. Les flèches et les glaives se sont brisés sur les boucliers des soldats chrétiens.

Et Ruricius Pompeianus n'a plus été qu'un cadavre parmi les cadavres.

Alors les habitants de Vérone ont ouvert les portes, sont venus à la rencontre de Constantin et l'ont acclamé.

Devant nous s'ouvrait la via Flaminia qui menait jusqu'à Rome.

Nous avons commencé à chevaucher sur ces pavés que les siècles avaient polis.

20.

J'ai vu le fleuve de Rome rouler ses eaux grisâtres au pied des roches rouges, en ce lieu nommé Saxa Rubra.

Le Tibre charriait des troncs noirs, des branches mortes enchevêtrées que les orages de cette fin d'octobre de l'an 312 avaient brisés, arrachés, et parfois le cadavre d'un mouton ou d'un bœuf gonflé comme une outre venait heurter les piles du pont Milvius et s'y accrochait avant que, dans un remous, le courant ne l'emporte.

J'ai regardé le ciel et j'ai su que Constantin allait vaincre.

Au centre des cieux, de jour comme de nuit, les étoiles qui traçaient la croix de Christos et dessinaient les deux premières lettres de son nom brillaient d'un éclat intense.

Je me suis approché de Constantin et j'ai tendu le bras, lui montrant ce signe.

Constantin l'a longuement fixé puis s'est tourné vers moi :

— Je vois ce que tu vois, m'a-t-il dit.

J'ai tressailli, le cœur battant si fort dans ma poitrine et jusque dans ma gorge que je n'ai d'abord pas pu parler.

J'ai pensé que, pour la première fois, Constantin venait de reconnaître la toute-puissance de Christos et de lire son message.

— Dieu combat avec toi, ai-je dit. Il te prête Sa force.

Je ne pouvais détacher mes yeux des cieux où je découvrais la marque de Christos. J'ai redit :

— Par ce signe, tu vaincras.

Et j'ai répété encore :

— *Tu hoc signo vinces.*

Il m'a semblé que, tête levée, Constantin scrutait ces points brillants dans le ciel et murmurait à part soi les mots que j'avais prononcés.

Il a posé la main sur mon épaule, comme il l'avait déjà fait quelquefois, et comme toujours ce geste familier et rare m'a ému. Puis il m'a dit :

— Je lis ce que tu lis.

La nuit nous a tout à coup enveloppés, humide et ventée.

Au matin du 28 octobre, trois cent douze années après la naissance de Christos, alors que l'on voyait s'avancer les cavaliers de la garde prétorienne de Maxence, et, sur leurs flancs, les troupes numides et mauresques, glaives et javelots levés, Constantin m'a demandé de le rejoindre en avant des cavaliers gaulois et germains dont il allait conduire la charge.

Je n'avais jamais vu son visage aussi serein. Il souriait. De sa main gauche il flattait l'encolure de son cheval.

— Cette nuit, comme dans le temple d'Apollon à Grannum, j'ai rêvé, a-t-il commencé. C'était la même lueur que celle qui entourait le dieu au moment où il s'est avancé vers moi et m'a couronné. Mais ce n'était pas Apollon. Tu sais qui était ce Dieu. Il m'a dit ce qui est inscrit dans le ciel depuis que nous sommes entrés en Italie, et que tu as lu hier, tout comme je l'ai lu.

— Dieu tout-puissant et unique ! ai-je murmuré. Il t'a dit : « Par ce signe, tu vaincras ! »

Constantin a baissé la tête, tiré son glaive hors de son fourreau et l'a dressé.

— Ce matin, le ciel est vide, a-t-il remarqué.

De fait, les étoiles avaient disparu.

— Dieu a parlé, tu L'as entendu et tu L'as vu, ai-je répondu.

– Aujourd'hui, c'est le combat des hommes.

– Dieu est à tes côtés.

– Ce sont les soldats qui tiennent le glaive. Ce sont eux qui tuent et qui meurent.

À cet instant, j'ai entendu le grondement sourd des sabots de la cavalerie prétorienne de Maxence qui galopait vers nous.

Constantin s'est élancé et je l'ai suivi, emporté par le flot hurlant des cavaliers gaulois et germains.

J'ai vu les hommes se battre et mourir, les soldats chrétiens avancer derrière leurs boucliers marqués du signe de Christos. Leurs corps et ceux des païens se sont mêlés, enlacés dans la mort.

J'ai prié Christos pour qu'il accueille ceux qui lui avaient été fidèles. Et, s'il voulait, qu'il pardonne aux autres qui l'avaient persécuté dans la chair des martyrs.

Quand la nuit s'est approchée avec ses grands voiles noirs, l'armée de Maxence n'était plus qu'un troupeau affolé qui se précipitait sur le pont Milvius.

Les plus forts et les plus sauvages bousculaient les autres pour franchir le Tibre, espérant ainsi échapper aux soldats de Constantin.

J'ai vu les corps basculer du pont dans le fleuve.

Plus tard, en aval, sur la berge, un Gaulois a découvert le cadavre de Maxence que le poids de son armure avait entraîné par le fond avant que le courant ne le rejette parmi les roseaux.

Le Gaulois a tranché sa tête et l'a exhibée au bout de sa lance à Constantin qui a détourné les yeux.

Le lendemain 29 octobre, nous sommes entrés dans Rome.

La plèbe, les sénateurs se pressaient pour approcher Constantin. C'était à qui crierait le plus fort sa reconnaissance, saluerait le libérateur de la ville, le sauveur de l'Empire.

Au Forum, un sénateur a dénoncé le tyran Maxence, dit qu'il fallait élever un arc de triomphe afin que l'on se souvienne toujours de Constantin le Grand qui, avec son armée, par l'inspiration de la divinité et le génie de son esprit, avait vengé l'Empire d'un tyran et de toutes ses factions.

J'étais à un pas de Constantin. J'ai dit :

— N'oublie pas ce que tu as lu, ce que tu as vu, n'oublie pas Celui qui t'a choisi, qui a combattu avec toi et t'a donné la victoire.

Souviens-toi de Christos. Par son signe, tu as vaincu. Tes ennemis, ceux qui sacrifiaient à Jupiter et à Hercule, à *Sol invictus* et à Apollon, que sont-ils devenus ? Ton triomphe est le triomphe de Dieu ! Fête-Le ! Honore-Le !

CINQUIÈME PARTIE

21.

J'ai voulu être la mémoire, tantôt l'espoir, tantôt le remords de Constantin le Grand.

J'étais auprès de lui quand il s'arrêtait devant les statues des dieux païens qui peuplaient les salles du palais impérial où il résidait.

Je ne parlais pas mais le harcelais du regard.

Je faisais en sorte qu'il se souvînt de l'aide que Christos lui avait apportée.

Et alors qu'Hésios lui proposait de sacrifier à Jupiter, à Apollon ou à *Sol invictus*, je priais pour qu'il entendît mon murmure et s'inquiétât du jugement que le Dieu unique porterait sur lui s'il acceptait d'immoler, pour célébrer Rome, neuf brebis et neuf chèvres, une truie noire, un taureau blanc.

Oserait-il, sur le champ de Mars, organiser les fêtes en l'honneur de Rome la païenne, s'inclinerait-il devant les déesses infernales, Proserpine et les Parques ? Ne serait-il donc qu'un païen ?

Je sentais qu'il hésitait et je me rapprochais de lui.

Je lui suggérais de demander au Sénat de dresser une immense statue impériale sur le Forum, là où toute la plèbe de Rome se rassemblait. Il fallait qu'elle dominât la foule et brandît dans sa main le signe de Dieu, cette croix traversée par une verticale recourbée, que les deux premières lettres du nom de Christos révèlent à tous les Romains le rôle de Dieu dans sa victoire et la reconnaissance que Lui manifestait l'empereur.

Elle devait aussi lever un étendard, le *labarum*, sur lequel serait inscrite la phrase que Constantin avait lue : « Par ce signe, tu vaincras. »

Alors Christos serait satisfait et étendrait sa protection sur tout le règne de Constantin.

Lequel m'écoutait mais ne me répondait pas, se dérobait, s'éloignait.

Je le suivais.

Il entrait à la curie, s'inclinait devant les statues des empereurs divinisés.

Il prenait place, majestueux, sur le siège impérial. Yeux mi-clos, comme s'il rêvait, il recevait les éloges des sénateurs. Il était, lui disait-on, le *Maximus Augustus*, le premier des empereurs.

On s'agenouillait devant lui, on baisait le pan

de son manteau pourpre. On célébrait en lui le prince de la jeunesse, le restaurateur de l'empire du genre humain.

On lui annonçait que le Sénat avait ordonné que commençât la construction de l'arc de triomphe promis pour perpétuer sa gloire. Et on dresserait aussi une statue de Constantin le Grand sur le Forum.

Il inclinait légèrement la tête vers moi comme pour souligner que mes vœux se trouvaient ainsi exaucés.

Mais j'entendais les sénateurs lire le texte qui serait gravé sur le socle de la statue :

« À Constantin le Grand qui a étendu l'Empire, protégé ses frontières, assuré la domination de Rome, fondé la paix et la sécurité éternelle. À Constantin, l'heureux et glorieux, le « Vainqueur perpétuel », le plus grand des empereurs, le fils du divin Constance le pieux, le protégé des dieux de Rome ! Qu'il soit vénéré ! »

Les sénateurs saluaient en païens un empereur païen.

Je m'indignais.

J'étais le moins apaisé, le moins heureux des chrétiens.

Je craignais que Constantin ne se laissât dévorer par cette Rome païenne à laquelle il offrait des jeux et des courses de chars. Il lui suffisait d'organiser des distributions de blé et de vin à la plèbe pour que la foule l'acclamât comme elle avait vénéré les empereurs persécuteurs, Néron, Marc Aurèle ou Dioclétien !

J'ai protesté, mais Constantin paraissait ne plus me voir, ne plus m'entendre.

Les sénateurs l'entouraient, si désireux de s'agenouiller devant lui, de le flatter, de faire acte de soumission qu'ils me repoussaient.

Et je sentais que Constantin appréciait le vin sirupeux des éloges. Il se tenait bras croisés, haute statue en tunique de soie blanche bordée d'or serrée sur son corps vigoureux, son manteau de pourpre tombant jusqu'au sol.

Il acceptait que le 25 décembre, jour où on célébrait la victoire du Soleil, la renaissance de *Sol invictus*, fût aussi celui de son triomphe impérial.

J'ai souffert.

On dressait la gigantesque statue de Constantin sur le Forum, mais elle ne brandissait ni la croix ni le *labarum*. Et c'était la dédicace païenne du Sénat qui avait été gravée sur son socle.

L'arc de triomphe sortait de terre et je savais

déjà qu'aucune mention n'y serait faite de Christos.

Constantin s'était-il servi de l'aide des chrétiens pour tromper Dieu ? Et pourquoi Christos avait-il accepté de le favoriser si ce n'avait été que pour voir un empereur païen succéder à un empereur païen ? Suffisait-il que Constantin et son père n'eussent pas persécuté les chrétiens pour être choisis par Christos ?

J'ai songé à quitter Rome alors qu'y résonnaient les cris de la plèbe acclamant Constantin qui offrait dans le Colisée des combats de gladiateurs.

Rome restait païenne, et Constantin s'y enlisait.

Il gouvernait en païen.

Les proches de Maxence étaient traqués, exécutés. Le camp de la garde prétorienne fut détruit, ses cohortes dissoutes, et certains parmi les prétoriens poussés dans l'arène afin d'y combattre les uns contre les autres et d'y périr.

Constantin assurait son pouvoir et sa popularité sans se soucier du jugement de Dieu.

Il condamnait à mort avec le flegme et la quotidienne cruauté de tous les empereurs.

J'appris qu'on avait découvert, étranglé dans

son berceau, le dernier fils de Maxence, Remus.
Et que la mère de ce dernier – Galeria, la fille de
Galère – avait été chassée de Rome.

Je l'ai croisée alors que, hagarde, échevelée,
deux soldats la tiraient hors du palais impérial.

Cet homme-là, Constantin, serait-il jamais un
chrétien ?

Le pouvoir conquis, il n'était plus qu'un souverain habile, soucieux de flatter Rome la païenne.

Je me suis approché de lui à la fin de la séance
solennelle de la curie consacrée à célébrer
ensemble, le 25 décembre, le triomphe de
Constantin et la renaissance de *Sol invictus*.

J'ai entendu Hésios, ouvrant les bras, s'adresser aux sénateurs, comme s'il s'expliquait au nom
de Constantin, en leur annonçant que le règne
d'Apollon commençait avec Constantin le Grand,
le pieux, le prince de la jeunesse.

Dans le brouhaha et les acclamations, j'ai murmuré à Constantin que s'il perdait la bienveillance et la protection de Christos, ainsi que
l'aide des chrétiens, il subirait le sort de Sévère,
de Galère, de Maximien, d'Alexander et de
Maxence.

– Tu seras seul face à Licinius, ai-je poursuivi,
qui peut s'allier à Maximin Daia, et contre eux,

un jour, tu auras à nouveau besoin du signe qui t'a fait vaincre au pont Milvius.

J'ai pointé l'index sur son ventre.

– N'attends pas d'être rongé par les abcès, comme l'a été Galère dont les entrailles étaient remplies de vers, pour montrer à Christos que tu n'as pas oublié les chrétiens. Choisis de les soutenir, et ils demeureront tes alliés. Sois de cette manière ce que tu es, Constantin : un habile et prévoyant empereur. Si tu l'es, Dieu te fera à nouveau signe.

Durant plusieurs jours, j'ai cru que Constantin ne m'avait point entendu.

Il présidait des jeux sanglants, assis dans la tribune impériale, et le sang rougissait le sable de l'arène du Colisée.

Hésios célébrait les dieux païens tandis que la plèbe et les sénateurs immolaient sur les autels les animaux du sacrifice.

Des chrétiens m'assuraient que Constantin avait été ondoyé par le sang d'un taureau égorgé pour honorer Mithra.

J'ai prié.

J'ai demandé aux chrétiens de Rome, rassemblés autour de notre pape Miltiade, de ne pas désespérer.

Ils n'étaient plus persécutés, leur foi allait donc rayonner, d'autant plus vive. Déjà des païens de plus en plus nombreux rejoignaient les communautés chrétiennes, souhaitant être baptisés.

– Soyons la force, l'ordre, la foi inébranlable, ai-je dit, et l'empereur viendra à nous parce que nous serons l'une de ses armées, la plus fidèle, la plus disciplinée, celle par qui il fera l'unité de l'Empire. Il veut être le *Maximus Augustus* ? Il lui faudra vaincre Licinius. Il ne pourra se passer de nous. Voilà la stratégie de Dieu. Mais il faut, pour qu'elle réussisse, que nous soyons aussi déterminés, aussi heureux dans notre foi, aussi emplis d'espérance que l'ont été les martyrs.

J'ai logé chez Miltiade. Le pape habitait une petite maison sur la via Appia. Il se nourrissait de ce que les fidèles lui apportaient, et j'ai partagé ses repas frugaux : une galette, un brouet noir et tiède, parfois un poisson.

L'eau dans la cruche était fraîche et nos prières s'élevaient, légères, vers Dieu.

Un jour, deux centurions se sont présentés, s'adressant à Miltiade avec respect comme s'il avait été un haut magistrat impérial.

Ils ont montré la litière qui attendait le pape

pour le conduire au palais du Latran qui, par ordre et par générosité de l'empereur Constantin le Grand, serait désormais la demeure du pape des chrétiens.

Je connaissais le palais. Il était immense, entouré d'un vaste domaine boisé s'étendant jusqu'aux monts Albains.

Il avait été légué par l'empereur Maximien à sa fille Fausta, devenue l'épouse de Constantin. L'empereur dépouillait donc l'impératrice pour faire un don à un chrétien. Le geste valait proclamation, c'était un acte de reconnaissance envers Christos.

J'ai deviné les hésitations de Miltiade.

Qu'avait-il besoin d'un palais pour prier et être entendu par la communauté des chrétiens ? Austère, pauvre même, sa maison de la via Appia lui suffisait.

J'ai pris ses mains et les ai baisées.

— Par ce signe, par toi, Miltiade, nous sommes reconnus par l'empereur comme dignes d'être accueillis dans un palais impérial. Nous ne sommes plus des ennemis de Rome, voués aux tortures, à l'arène ou bien méprisés, contraints de nous enfoncer dans les catacombes, loin de la lumière, pour prier ! Christos apparaît dans le plein jour de la vie. Ce ne sont pas seulement Jupiter, Apollon ou *Sol invictus*, ni l'empereur-dieu qu'on honore, mais toi, Miltiade, le souve-rain pontife, le représentant de l'Église chré-tienne. Dès lors qu'on peut la voir pour ce qu'elle est, qu'elle peut se faire entendre, que nos frères et sœurs ne sont plus calomniés par les délateurs, livrés aux bêtes, comment n'apparaîtrait-elle pas pour ce qu'elle est : la vraie religion du Dieu unique, celle qui doit devenir la religion de l'em-pire du genre humain ? Va, Miltiade, nos martyrs t'accompagnent.

J'ai regardé s'éloigner la litière dans laquelle avait pris place Miltiade. Les centurions l'escor-taient.

J'ai pensé à tous les chrétiens qui, depuis le calvaire de Christos, avaient été conduits au sup-plice, entourés, humiliés, frappés, suppliciés par les soldats de Rome.

Ce temps-là était révolu.

Constantin m'avait entendu : les centurions protégeaient désormais les chrétiens.

Les jours suivants, au palais du Latran, dans la somptueuse demeure que Néron le persécuteur avait construite et où logeait désormais le pape

Miltiade, j'appris que Constantin avait décidé de ne pas célébrer la fête de la fondation de Rome mais qu'il s'apprêtait à quitter la ville païenne pour Milan.

J'ai remercié Dieu.

L'empire de Constantin serait donc différent de tous les autres.

Si nous le voulions avec assez de force, il serait chrétien.

Nous accomplirions ainsi le dessein de Christos.

22.

C'était l'hiver de la trois cent treizième année après la naissance de Christos.

Je chevauchais près de Constantin et nous approchions de Milan.

Là nous attendait l'empereur Licinius, venu de Nicomédie, avec qui Constantin voulait conclure un pacte d'alliance afin de combattre l'empereur d'Orient – ou qui se prétendait tel –, Maximin Daia.

Constantin ne m'avait pas consulté, mais peut-être l'avais-je incité à faire cette démarche.

Plusieurs fois j'avais dressé la liste des méfaits et des crimes de ce tyran d'Antioche. Maximin Daia se vautrait dans la fureur, la cruauté et la débauche. Il assurait qu'il était le dieu et le sauveur des païens, défendant la religion de Rome contre les princes qui s'étaient soumis aux chrétiens. Il rassemblait à Antioche une armée composée d'Égyptiens, de Syriens et de Phrygiens.

Chaque jour, des chrétiens étaient soumis à des supplices qu'aucun homme encore n'avait imaginés. Mais il n'épargnait non plus aucun de ses sujets, tous victimes de sa tyrannie. Ainsi, on ne pouvait se marier qu'avec son autorisation et il exigeait que toutes les jeunes épousées lui accordent leur première nuit. Malheur à celles et à ceux qui refusaient. Elles étaient livrées aux soldats, et leurs prétendants, émasculés, jetés aux chiens.

Tel était Maximin Daia.

– Tu dois empêcher cette bête sauvage de nuire plus longtemps, avais-je dit à Constantin.

Il ne m'avait pas répondu, mais, quelques jours plus tard, j'ai appris qu'il avait envoyé des messagers à Licinius, offrant à celui-ci non seulement une alliance, mais aussi d'entrer dans sa famille. Pour épouse il promettait à cet ancien soldat, devenu empereur à Nicomédie, Constantia, la fille de Constance Chlore et de sa seconde femme, Theodora, donc sa propre demi-sœur.

Comment le parvenu qu'était Licinius aurait-il pu refuser cette offre qui le faisait membre d'une famille impériale ?

Il avait donc quitté Nicomédie pour Milan avant même que nous ne fussions sortis de Rome.

202

Nous avions progressé lentement. Les bourrasques de neige s'étaient abattues sur nous alors que nous gravissions les pentes des Apennins. Puis nous nous étions enfoncés dans la brume glacée qui recouvrait comme une eau morte la plaine du Pô.

Le soleil semblait avoir disparu à tout jamais. Je n'ignorais pas qu'Hésios et d'autres prêtres de *Sol invictus*, de même que les païens, encore si nombreux dans les cohortes qui marchaient derrière nous, murmuraient, assurant que les dieux de Rome – et *Sol invictus*, le premier – se vengeaient ainsi des décisions prises par Constantin avant de quitter Rome.

Il avait rendu visite en son palais du Latran à Miltiade, notre pape.

Il avait assisté au creusement des fondations de la *Basilica Constantinia*, l'immense église que Constantin offrait aux chrétiens afin qu'ils prient leur Dieu et l'invitent à protéger l'Empire.

J'avais entendu Hésios répéter qu'il ne fallait pas remettre le sort de l'Empire entre les mains d'un dieu étranger à la religion de Rome. On pouvait, avait-il ajouté, l'accueillir, tolérer que des citoyens romains le vénèrent, mais à la condition que les divinités qui, depuis l'origine, veillaient sur Rome, fussent toujours honorées.

J'avais vu le geste amical par lequel Constantin avait rassuré Hésios tout en me regardant fixement, comme s'il avait voulu me montrer qu'il n'oubliait pas non plus ce qu'il devait aux chrétiens.

Plus tard, alors que nous chevauchions, courbés, comme écrasés par le ciel bas qui s'en-trouvrait parfois pour déverser sur nous une neige tourbillonnante, Constantin m'a dit, sans même tourner vers moi sa tête encapuchonnée :

– Un empereur doit rassembler tous les épis, et nouer la gerbe.

J'ai voulu lui objecter qu'il existait des plantes vénéneuses, des herbes qui détruisent les récoltes, et des bêtes sauvages comme Maximin Daia qui saccagent les moissons, mais le vent et la neige ont étouffé ma voix.

Dieu peut-être l'a-t-Il voulu ainsi, parce que l'homme doit avancer pas après pas, et Constantin en avait déjà accompli de nombreux.

Mais quand nous sommes entrés dans Milan et que du brouillard ont surgi tout à coup des porteurs de torches dont les flammes faisaient briller les armures, puis quand j'ai entendu la foule entonner les chants sacrés, invoquer Christos et acclamer Constantin, j'ai su que cet hiver de l'an 313 serait, de par la volonté de Dieu, le temps des moissons.

J'ai oublié mon corps meurtri et transi. J'ai rejeté mon capuchon. J'ai voulu que la neige, dans sa blanche pureté, m'ondoie, et je n'ai plus ressenti ma fatigue. Mes doigts, qui étaient gourds, se sont dénoués. Il m'a semblé que mes lèvres gercées, ma peau fendue étaient à nouveau lisses.

J'ai sauté à bas de ma monture, j'ai marché vers mes frères et sœurs, et j'ai chanté avec eux, parmi eux.

Oui, cet hiver-là serait bien celui des moissons !

Le soir même, Constantin m'a convoqué dans le palais où il s'était installé.

Il était assis devant le feu vif d'une haute cheminée. Les flammes seules éclairaient la pièce. D'un geste il m'a invité à prendre place auprès de lui. Il a tendu les bras, paumes ouvertes au-dessus de l'âtre.

– Parle-moi des chrétiens, a-t-il dit.

J'ai évoqué Christos, sa prédiction, ses disciples, la trahison de Judas et le calvaire, mais il s'est alors tourné vers moi et, levant la main droite, il m'a interrompu :

– Ce n'est pas ton Dieu que je veux connaître, mais ceux qui croient en Lui. J'ai vu les porteurs de torches, cette foule, j'ai entendu ces chants. J'ai parlé avec Miltiade, à Rome, et tu sais comment je l'ai honoré. Tu m'as souvent lu les lettres des communautés chrétiennes, j'ai écouté Cyrille. Je sais que tu l'as envoyé à Antioche pour qu'il te renseigne. Il est courageux d'avoir accepté cette mission. J'ai vu aussi combattre les soldats chrétiens ; je n'ignore pas ce que je leur dois.

Il s'est de nouveau tourné face au feu, bras tendus au dessus du foyer.

– Je veux un empire où les lois soient respectées par tous. Or le glaive ne suffit pas. Les soldats ne peuvent enchaîner que les corps. Les âmes sont toujours libres. Aucun empereur – ni Néron, ni Marc Aurèle, ni Dioclétien, et il en ira de même de Maximin Daia –, n'a pu asservir les chrétiens.

Il s'est levé et a fait quelques pas.

– Les chrétiens, a-t-il repris, mais aussi ceux qui croient en d'autres divinités, qui sacrifient à Jupiter ou à Apollon, à Mithra ou à Cybèle, ont conservé leur foi.

Il s'est penché vers moi.

– Chaque Romain honore son dieu particulier. Chaque jour, on célèbre une divinité différente. Or on ne fait pas du mortier avec des grains de sable dispersés. Il faut les unir, les pétrir, et on peut alors élever des murs, bâtir, placer l'un sur l'autre des blocs de marbre que le mortier tiendra ensemble.

Il a baissé la tête et a repris d'une voix grave :

– Tu m'as dit à plusieurs reprises que, dans chaque ville de l'Empire, les chrétiens formaient un corps uni, organisé, avec une tête, l'évêque, des mains, les diacres ; tous ces corps ont une tête commune, le pape – c'est pourquoi j'ai honoré Miltiade –, et une âme pleine de la foi en Christos. Crois-tu que tous ces corps chrétiens, ces communautés...

Je me suis levé d'un bond.

– Oui, c'est le mortier que tu cherches, celui par lequel tu uniras ton empire !

– Il faut que Licinius l'accepte, a répondu Constantin en se dressant à son tour. Mais il acceptera, a-t-il ajouté. Je lui donne ma sœur Constantia et il rêve qu'un jour il me terrassera. Voilà de quoi est fait le mortier d'une alliance !

Il a eu un sourire fugace.

– Écris avec Hésios un édit qui te satisfasse et qu'Hésios tout comme Licinius puissent accepter.

Alors qu'on fêtait le mariage de Constantia et de Licinius, que les soldats et la foule se précipitaient pour arracher leur part des viandes rôties, des poissons, des fruits, des gâteaux au miel, ainsi que leur pichet de vin, j'ai rédigé le rescrit que les deux empereurs devaient promulguer.

Hésios était assis en face de moi et m'a dit, avant même que j'eusse tracé le premier mot :

— J'accepte que tu gagnes, chrétien, si je n'y perds pas. Il y a place à Rome pour d'autres dieux que le tien. Ton Christos n'avait pas encore de nom quand les Égyptiens et les Romains célébraient le Soleil, *Sol invictus*.

J'ai pensé que Christos avait pris ce visage solaire pour attirer les hommes à lui.

— Je ne veux pas que tu perdes, ai-je murmuré en posant ma main sur celle d'Hésios. Je veux que tu découvres la vraie lumière, et donc que tu gagnes. Christos ne recherche pas sa victoire, mais celle de chaque être humain. Il a souffert pour chacun de nous, il a été crucifié et a ressuscité pour nous montrer qui il était : Fils, Homme, Dieu, Esprit.

Hésios a retiré sa main.

— Cent divinités, en cent lieux, avant ton Christos, sont entrées dans le royaume des morts et en sont resurgies ressuscitées. Pourquoi veux-tu que je croie davantage en Christos qu'en elles ?

– Que plus un croyant ne soit martyrisé pour ce qu'il croit, ai-je murmuré. Voilà ce que dit Christos.

Hésios a fermé les yeux, baissé la tête.

– Tu connais donc si peu les hommes, a-t-il soupiré, pour ignorer qu'ils se servent de leurs dieux pour prendre et pour tuer ?

J'ai cessé de répondre et me suis mis à rédiger.

« Moi, Constantin, empereur, et moi, Licinius, empereur, réunis à Milan dans le souci de la sécurité et du bien publics, voulons par ce rescrit assurer le bien de tous ceux qui respectent la divinité de telle sorte que ce qu'il peut y avoir de divinité et de pouvoir céleste puisse nous être bienveillant à nous tous comme à tous ceux qui vivent sous notre autorité. »

Hésios lisait et relisait chaque phrase. J'ai accepté ici et là de changer quelques mots qui le heurtaient.

L'important était que ce rescrit reconnût à l'Église chrétienne sa place au sein de l'Empire.

Le rescrit de Galère avait commencé d'éclairer pour les chrétiens le ciel de l'Empire ; celui de Constantin l'illuminait. Les chrétiens, répétait-il, avaient le droit de pratiquer leur religion, et l'empire avait besoin de leurs prières. Ils obtenaient

en outre la restitution des biens dont ils avaient
été spoliés.

« Nous avons cru, dans un dessein salutaire à
tous, devoir prendre la décision de ne refuser à
quiconque, qu'il ait attaché son âme à la religion
des chrétiens ou à celle qu'il croit lui convenir le
mieux, le droit de la suivre, de pratiquer son culte
et de lui demander d'appeler son dieu à protéger
l'Empire. »

Ainsi serait instaurée la paix.

« Et l'on verra la faveur divine dont nous avons
éprouvé les effets dans de graves circonstances
continuer d'assurer le succès de nos entreprises et
garantir la prospérité publique. »

Licinius et Constantin ont accepté le texte que
j'avais rédigé et qu'Hésios avait approuvé.

Mais, le même jour, Constantin a annoncé qu'il
allait sacrifier à *Sol invictus* et qu'il continuerait
d'honorer les divinités de Rome. Il était et
demeurait *Pontifex Maximus*, le souverain pontife
dont on devait célébrer le culte.

J'ai remarqué le sourire d'Hésios.

Je savais cependant que chaque chrétien portait
en lui une foi plus forte que celle de tous les
croyants de toutes les divinités de Rome.

Et que c'était Christos qui engrangerait les
moissons.

23.

J'ai su que partout dans l'Empire germait le blé chrétien.

Des messagers m'ont annoncé que dans toutes les villes, à l'exception de celles qui subissaient le joug du tyran Maximin Daia, le rescrit impérial – ces mots que Dieu m'avait dictés – était le levain des âmes.

À Rome, les païens s'agenouillaient au pied des murs de la nouvelle basilique qui surgissait de terre.

Ils se pressaient aux portes du palais du Latran, suppliant notre pape Miltiade de les accueillir. Ils voulaient faire partie du corps chrétien.

Ils s'agglutinaient comme des abeilles sur des buissons de fleurs pour écouter la lecture du rescrit.

Ils voulaient le voir affiché sur les colonnes du palais impérial, à Trèves, à Sirmium, à Nicomédie. En Gaule, en Espagne, en Bretagne, les gouverneurs des provinces l'avaient fait placarder à l'entrée des bâtiments impériaux et des camps des légions.

À Milan, devant les portes de l'église, les païens m'ont entouré. Leurs voix exaltées se mêlaient. Ils demandaient s'il était vrai que l'empereur Constantin et Licinius, celui de Pannonie, avaient reconnu la toute-puissance, la prééminence d'un Dieu unique, ce Christos ? Était-ce celui dont le signe s'était inscrit dans le ciel au début de la bataille entre Constantin et Maxence ?

Ils maudissaient cet usurpateur qui avait pressuré l'Italie tout comme son père Maximien l'avait fait avant lui. Gloire et reconnaissance à Constantin qui les avaient défaits ! Gloire au dieu Christos qui avait précipité Maxence dans le Tibre où il s'était noyé, tel Pharaon recouvert par les eaux du Nil !

J'écoutais.

J'étais partagé entre l'ivresse du berger qui voit croître son troupeau et la crainte qu'il éprouve devant tant de nouvelles brebis, à imaginer que sous la laine de quelques-unes se cachent des prédateurs.

Les païens n'ont cessé de m'interroger.

Ils voulaient s'assurer que les chrétiens étaient

bien désormais les fils préférés de l'empereur. Que leurs biens personnels, comme l'avaient été ceux qu'on avait restitués aux églises, seraient protégés, exemptés d'impôts. Que les charges lucratives des magistrats, jusqu'aux plus hautes, seraient désormais accordées par priorité aux chrétiens.

Je n'ai pas répondu.

Je voyais l'avidité briller dans leurs yeux. Il me semblait entendre grincer leurs canines.

Mais ils se sont agenouillés autour de moi. Ils voulaient recevoir le baptême, prier Christos.

Certains prétendaient avoir vu des chrétiens affronter les supplices et les bêtes féroces sans paraître souffrir. Ils les avaient même entendus chanter alors qu'on les dépeçait, qu'on les faisait griller. Christos donnait-il une pareille force à tous ceux qui croyaient en lui ?

Ils baissaient la voix : était-il vrai qu'Il était mort comme un humain, mais qu'Il avait ressuscité et que tous ceux qui Le reconnaissaient pour Dieu unique obtenaient la vie et la paix éternelles ?

J'ai tendu le bras, montrant l'intérieur de l'église.

Qu'ils entrent, et si, parmi eux, il y avait des loups, que le baptême et la prière les changent en agneaux !

Peu après j'ai reçu Hésios.

Il m'a dévisagé, la tête penchée sur son épaule droite, puis il a pointé l'index sur ma poitrine.

Il s'était plaint à l'empereur et tenait à m'en avertir. Des chrétiens avaient chassé de leur temple les fidèles de *Sol invictus*. Ils avaient renversé les statues du dieu solaire et occupé le bâtiment pour le transformer en église chrétienne !

Cela s'était produit dans plusieurs villes de Gaule et d'Italie et Constantin s'en était indigné. Je devais, comme le rescrit impérial l'avait prévu, rappeler aux communautés chrétiennes qu'elles étaient astreintes à respecter les autres divinités.

J'ai répliqué qu'aucun païen n'avait été persécuté par les chrétiens, offert en pâture aux bêtes fauves, crucifié pour sa foi comme l'avaient été, depuis le Calvaire, tant de chrétiens.

Hésios a maugréé :

— Ceux qui viennent à toi aujourd'hui, peut-être l'as-tu compris, sont davantage attirés par le glaive de l'empereur que par le signe de Christos. Ils s'agenouillent devant la force, et c'est elle qu'ils prient ! Ils ont encore l'âme des persécuteurs.

Je me suis indigné.

Pouvait-il ignorer que des chrétiens étaient encore torturés, brûlés vifs dans les provinces d'Orient ? Savait-il que Maximin Daia se présentait comme l'empereur païen, défenseur et sauveur des dieux et de la religion de Rome ? Son armée de Syriens, d'Égyptiens, de Phrygiens marchait sur Nicomédie. Maximin Daia voulait traverser les détroits afin de battre Licinius en Thrace, puis – car il ne doutait pas de sa victoire – affronter Constantin qu'il accusait de n'être qu'un usurpateur soumis à la nouvelle religion.

– S'il l'emportait, crois-tu, Hésios, que je pourrais te rendre visite et te demander de faire respecter ma religion par l'empereur païen ?

Hésios a haussé les épaules, marmonné que Maximin Daia n'était qu'un tyran qui se servait des dieux pour justifier sa cruauté, sa démesure, sa folie.

– Il ne sera pas vaincu par ton dieu Christos, mais parce que *Sol invictus* et les divinités de Rome l'ont déjà abandonné !

Cyrille le chrétien, auquel Dieu avait donné la vertu de courage, m'a raconté plus tard la marche de l'armée de Maximin Daia qu'il avait suivie, mêlé à cette foule de marchands, de femmes et de pillards qui toujours accompagnent les soldats.

Il avait été témoin des persécutions perpétrées contre les chrétiens, des massacres qui avaient laissé une traînée sanglante d'Antioche jusqu'à Byzance. Cyrille m'a avoué qu'à plusieurs reprises il avait eu la tentation de rejoindre ces martyrs, ou bien de se précipiter dans un puits pour ne plus voir ni entendre.

Mais, dès les premiers combats, il avait su que cette armée cruelle et débauchée serait vaincue.

Elle avait dû affronter les troupes du roi d'Arménie qui venait de recevoir le baptême et qui brandissait le signe de Christos.

Maximin Daia avait tenté de soulever contre les chrétiens les peuples de ces provinces d'Asie, de Bithynie, de Phrygie. Par les prêtres païens il avait fait répandre des calomnies contre Christos, accusé de luxure et de crimes rituels.

Mais qui pouvait encore croire le tyran ? Il n'était plus que craint.

Il avait conquis Nicomédie, puis traversé les détroits, et Byzance, terrorisée, lui avait ouvert ses portes.

Cyrille a fermé les yeux lorsqu'il a fait le récit du pillage de la ville, des crimes commis, de la débauche dans laquelle toute l'armée, à l'exemple de Maximin Daia, s'était engloutie. Elle avait brûlé les demeures, violé les femmes, éventré les coffres, brisé les jarres de vin pour s'enivrer plus vite.

Comment cette armée-là, titubante, aurait-elle pu vaincre les troupes de Licinius, renforcées par des cohortes envoyées de Gaule par Constantin ?

Je n'ai pas eu à persuader l'empereur.

De lui-même il a murmuré :

– D'abord Maximin Daia...

Il s'est interrompu et, après un silence, il a ajouté que les intérêts de Dieu et les siens étaient confondus, et que je devais demander à toutes les communautés chrétiennes de l'empire d'Orient de se soulever contre Maximin Daia.

Quant à lui, Constantin, *Pontifex Maximus*, il condamnait en Maximin Daia un usurpateur, un tyran sans dieu, ennemi de toutes les religions de Rome, celles de Jupiter, de *Sol invictus* aussi bien que celle de Christos.

– Licinius va vaincre avec l'aide de tous les dieux et l'appui de mes cohortes.

Il a levé les bras et ajouté :

– Après, après...

Cyrille m'a appris comment Maximin Daia, dont l'armée avait été vaincue en Thrace par les cohortes de Licinius et de Constantin, avait dû retraverser les détroits, fuir Nicomédie.

Bientôt il n'avait plus été qu'un homme seul,

traqué, qui, à Tarse, en Cilicie, avait choisi de s'empoisonner plutôt que de tomber aux mains de Licinius. Ses derniers fidèles avaient brûlé son corps et dispersé ses cendres. Et, sur ordre de Licinius, tous les proches de Maximin Daia, épouse et fils, parents, conseillers, de même que les quelques survivants de sa garde personnelle, avaient été égorgés.

Le sang avait coulé à Tarse et à Antioche.

Et Licinius s'était proclamé empereur d'Orient, le premier des empereurs, *Maximus Augustus*.

Le titre même que portait déjà Constantin le Grand.

Je savais que celui qui combattait au nom de Christos vaincrait l'autre.

24.

J'ai vu Constantin lever son glaive. L'arme avait la forme d'une croix.

Debout près de moi dans cette grand-salle du Palais impérial d'Arles, Cyrille a murmuré :

– C'est donc à cet homme que, du haut du Ciel, Dieu a accordé la victoire sur les païens comme fruit de sa piété.

J'ai dévisagé Constantin.

Il avait la tête un peu penchée en arrière, afin d'étirer son cou trop court, ce qui lui donnait une posture hautaine, presque méprisante, comme s'il avait voulu marquer son dédain ou sa supériorité vis-à-vis des dizaines d'évêques qui se pressaient autour de l'estrade sur laquelle il se tenait, le glaive à la main.

Cet homme-là était-il pieux ?

Il continuait d'exercer la fonction païenne de *Pontifex Maximus*. Il voulait qu'on le considérât comme le grand pontife de toutes les religions, et il acceptait – il souhaitait – qu'on célébrât son propre culte comme s'il avait été un empereur païen divinisé.

Cependant, il avait convoqué un concile en Arles avec les évêques des provinces de Gaule, de Bretagne, d'Afrique, d'Italie, d'Espagne, et c'est lui qui, glaive brandi, le présidait comme s'il avait aussi été le chef religieux de notre Église.

J'ai senti le regard de Cyrille posé sur moi, mais je me suis abstenu de tourner la tête. Je ne souhaitais pas qu'il devine mes réflexions.

Cet empereur pouvait-il nous imposer ses choix, sa loi ?

Je voyais, séparés les uns des autres par les Gaulois, les Espagnols, les Italiens, les deux groupes d'évêques venus des provinces d'Afrique, des frères ennemis qui évitaient même de se regarder, s'étant placés aux deux extrémités de la salle.

Les uns, autour de l'évêque de Carthage, Cécilien, voulaient que l'on pardonnât et accueillît à nouveau dans le sein de l'Église les évêques qui, durant les persécutions de Dioclétien, avaient obéi aux ordres de l'empereur et de ses légats, remettant aux soldats les livres saints et échappant ainsi au martyre.

Les autres, rassemblés autour de Donatius, lui aussi évêque de Carthage, réclamaient la destitution des faibles, des lâches qui avaient accepté que les livres saints fussent profanés et brûlés.

Comment de tels apostats pouvaient-ils demeurer évêques ? Comment les sacrements qu'ils avaient ordonnés pouvaient-ils être reconnus ? Il fallait baptiser à nouveau tous ceux qu'ils avaient accueillis au sein de l'Église. Il fallait que la pureté de la foi fût respectée.

Entre Cécilien et Donatius, chacun exhortant ses fidèles à ne pas céder, mais à exclure l'autre, c'était la guerre ouverte.

À Milan, Constantin, devant moi, s'était emporté :

— Je n'accepterai pas, avait-il dit, que l'Église de Christos soit brisée en plusieurs religions. S'il y a un Dieu unique, il faut une Église unique ! Les dieux, les cultes, les superstitions sont déjà trop nombreux dans l'Empire. J'aspire, tu le sais, à être empereur unique. Je veux donc des religions rassemblées autour de moi. J'ai lu le message de Christos. J'ai vu avec toi, dans le ciel, la croix et la verticale recourbée : « Par ce signe, tu vaincras », m'a dit Christos, et je l'ai éprouvé. Pourquoi aujourd'hui ton Église se divise-t-elle en partisans de Donatius et de Cécilien ? Je vais rassembler les évêques en Arles et ils m'écouteront, ils obéiront, parce que tel est l'intérêt de l'Église, et celui de l'Empire. Je ne veux pas que vous, chrétiens – je l'ai dit à Miltiade et je le redirai aux évêques –, tolériez, de quelque manière que ce soit, aucune division, en quelque lieu que ce soit, au sein de l'Église de Christos. Je ne veux pas d'un signe fendu. J'ai besoin de l'unité !

Était-il pieux, l'homme qui m'avait ainsi parlé et qui, maintenant, en Arles, après avoir rengainé le glaive dans son fourreau, a croisé les bras, semblant ne pas prêter attention aux propos des évêques qu'il avait laissés s'exprimer, puis, alors que Donatius avait commencé à parler, l'a interrompu d'un geste brusque :

– En pensant à la prospérité, à la gloire et à l'unité de l'Empire, en me souvenant de la grâce divine qui m'a été accordée et par laquelle j'ai vaincu, je dis que tous les peuples de l'Église chrétienne doivent avoir une seule foi !

Il a fait un pas en avant, se trouvant ainsi au bord de l'estrade, paraissant encore plus grand et plus massif, écrasant Donatius de sa haute et puissante stature.

D'une voix forte, rugueuse, scandée, il a repris :

— Dieu ne veut pas que l'humanité vive trop longtemps dans les ténèbres. Il ne permet pas que la volonté mauvaise de certains l'emporte assez pour ternir Sa lumière et L'empêcher de montrer le chemin !

Il a de nouveau brandi son glaive et l'a tenu droit, la pointe de la lame dirigée vers le ciel.

Donatius a levé la tête, écoutant encore Constantin annoncer que l'on confisquerait les biens des évêques et des diacres qui s'obstineraient à prôner l'exclusion des évêques fautifs et l'abolition des sacrements qu'ils avaient accordés.

— C'est sa loi, a murmuré Cyrille. Les évêques doivent-ils s'y soumettre ?

Je n'ai pas répondu, mais j'ai détourné la tête pour ne plus voir le visage gonflé d'orgueil de Constantin.

Mais c'était l'intérêt de l'Église d'être unie, et son avenir était lié à celui de cet empereur dont tous les chrétiens avaient voulu la victoire — et Dieu avait approuvé notre choix.

Maintenant, après le rescrit de Milan, nos lieux

de culte étaient nombreux, riches, envahis par la foule des croyants. Et les chrétiens exerçaient les plus hautes magistratures de l'Empire.

Tout à coup, une main s'est posée sur mon épaule, et, redressant la tête, j'ai vu Constantin qui se trouvait à un pas.

J'ai lu de la malice dans son regard.

— Ceux-là, a-t-il dit en montrant d'un hoche-ment de tête les évêques, sont à l'intérieur de l'Église. Moi, je suis l'évêque du dehors, celui qui tient le glaive.

25.

Le glaive de Constantin, chaque jour et durant des années, je l'ai vu, rougi du sang des Barbares et de celui des païens de l'Empire.

Le soir, après les combats, quand la nuit était pleine du râle des blessés et des hurlements rauques et brefs des prisonniers qu'on égorgeait, je ne pouvais quitter des yeux cette lame large et longue sur laquelle le sang, en séchant, avait noirci.

Constantin était assis, penché en avant, comme si sa lourde tête entraînait son buste et que, pour ne pas basculer, il devait prendre appui sur ses avant-bras posés sur ses cuisses.

Il exigeait que je me tienne près de lui sous sa tente, ou dans l'une des salles des palais qu'il occupait dans les villes qu'il avait conquises, en Illyrie, en Mésie, en Thrace.

Souvent il demandait à son fils aîné de nous rejoindre.

Crispus s'avançait, et, chaque fois, j'étais surpris par la vigueur, la calme beauté de cet homme jeune dont les tribuns militaires, les centurions et les soldats louaient le courage et le génie guerrier.

Je l'avais connu enfant. Tout le monde ignorait ce que sa mère Minervina était devenue. Les courtisans le méprisaient, croyant ainsi satisfaire Constantin, honorer sa nouvelle épouse, Fausta, fille de l'empereur Maximien.

Ils félicitaient Constantin pour ses autres fils, Constantin le Jeune (mais peut-être celui-ci n'était-il qu'un bâtard), Constance et Constans, ses filles Hélène et Constantina.

Mais c'était Crispus, adolescent encore frêle, que Constantin avait appelé près de lui pour combattre, sur les bords du Rhin, les Francs et les Alamans, puis, sur les rives du Danube, pour repousser les hordes de Goths qui tentaient de traverser le fleuve et de déferler en Pannonie, en Norique, en Italie.

Et c'était Crispus qui combattait à présent à ses côtés l'armée de l'empereur Licinius qui avait pénétré en Italie, dont les soldats clamaient qu'ils voulaient renverser l'usurpateur, Constantin, l'empereur esclave des chrétiens, l'ennemi de la religion de Rome.

Il y avait ainsi partie liée entre les païens barbares et les païens de l'Empire, et le sang des uns et des autres devait couler.

J'osais dénombrer sur les champs de bataille les corps morts, ces cadavres d'hommes dont les âmes étaient sauvages et que Christos, dans sa bonté, accueillait peut-être malgré tout.

Il avait rendu Constantin invincible. Sous la tente impériale ou dans les palais, à Trèves ou à Milan, à Sirmium ou à Byzance, je lui répétais qu'il était fort de la force des chrétiens, que sa puissance serait d'autant plus grande qu'elle se proclamerait au service de Christos et de son Église.

Il m'écoutait en silence.

Parfois il cachait son visage dans ses paumes et je pensais qu'il allait s'assoupir, mais, au moment où je me levais pour me retirer, il m'interpellait, m'ordonnant de m'asseoir.

Je me souviens d'une nuit en Illyrie, c'était en l'an 316, la pluie déferlait. Les armées de Licinius avaient été défaites, et l'empereur d'Orient s'était enfui à Byzance avec son épouse, Constantia, la demi-sœur de Constantin, et son fils Licinius le Jeune.

Je savais qu'un messager de Constantia était arrivé au camp.

– Ma sœur me demande d'épargner Licinius, a marmonné Constantin.

Il a levé sa main ouverte, puis l'a fermée lentement, gardant le poing serré.

– Je peux, demain, si je le veux...

Et il a tendu son poing vers moi.

J'ai plaidé pour qu'il exauce le vœu de Constantia.

Il a abattu violemment son poing sur sa cuisse.

– Licinius veut ma mort ! a-t-il grondé. Il me sautera à la gorge dès qu'il en aura l'occasion.

– Arrache-lui ses dents, ses griffes, ai-je répondu.

Licinius fut laissé en vie, mais dut abandonner la plupart des provinces sur lesquelles il régnait. L'Illyrie, la Pannonie, la Mésie devinrent possession de l'empereur d'Occident, Constantin le Grand. Licinius ne conserva que la Thrace.

J'ai assisté à la rencontre des deux empereurs au palais de Sardique, ville au cœur de la Mésie.

J'ai remarqué le teint grisâtre de Licinius. Chacune de ses expressions, chacun de ses gestes ou de ses regards exprimait la terreur qui le tenaillait.

Il tressaillait chaque fois qu'entraient dans la salle un tribun, un centurion ou un soldat. Il tenait la main de Constantia comme si son épouse avait été son bouclier, qu'elle seule pouvait le protéger en tant que sœur de Constantin.

La main toujours crispée sur le pommeau de son glaive, l'empereur s'était montré méprisant. Il avait répété que dans l'empire d'Orient, les provinces d'Asie, de Bithynie, de Phrygie, de Syrie, les chrétiens devaient recouvrer tous les biens et les droits dont Maximin Daia les avait privés.

– Tu l'as vaincu, a dit Constantin. Tu as accepté le rescrit de Milan qui accorde la paix à toutes les religions et reconnaît la chrétienne.

Il a sorti à demi son glaive du fourreau.

– Je porte et défends le signe de Christos, ne l'oublie pas, Licinius.

Ce dernier a assuré qu'il avait affiché sur les murs du palais de Nicomédie le rescrit de Milan et qu'il en appliquait toutes les dispositions.

– Sois fidèle à tes engagements ! a conclu Constantin.

Puis les deux empereurs se sont séparés après avoir désigné comme césars leurs propres fils : Constantin, pour l'Occident, Crispus et Constantin le Jeune ; Licinius, pour l'Orient, Licinius le Jeune.

Le soir, après que Licinius et Constantia eurent quitté le palais de Sardique, et alors qu'on entendait les chants des soldats qui célébraient la paix victorieuse, Constantin a répété qu'un jour Licinius sortirait de sa tanière pour se venger, tenter de s'imposer dans l'Empire, et qu'il rassemblerait pour cela, autour de lui, tous les païens, qu'il deviendrait à son tour persécuteur comme l'avaient été Dioclétien, Galère et Maximin Daia.

– Il sera l'empereur des païens. Je serai celui des chrétiens, et mes fils après moi.

J'entendais enfin énoncer par l'empereur le dessein de Dieu.

– Il y a le Père et le Fils, Dieu et Christos, et l'Esprit saint, a ajouté Constantin. Il doit en aller de même à la tête de l'Empire. Moi et mes fils, la chair et le sang. Célèbre ton culte, Denys, pour que l'Esprit m'habite !

Il m'a semblé que plus rien ne pouvait désormais empêcher la victoire des chrétiens, donc celle voulue par Dieu.

Chaque jour, Constantin donnait la preuve qu'il était désormais l'empereur chrétien, même si, alors que je le lui avais proposé, il refusait le baptême, disant qu'il était le *Pontifex Maximus* et que lui, et lui seul, sur un signe de Dieu, en choisirait le moment.

230

Mais qu'avais-je à redire, puisqu'il ordonnait que partout on construisît des églises, et qu'à Rome la basilique était presque achevée ? Il en avait payé les travaux sur son trésor personnel. Il avait accordé aux évêques le droit de juger, et leurs propriétés et celles des églises étaient exemptées d'impôts. Les chrétiens obtenaient, pour célébrer leur culte, un jour férié par semaine, et ce fut le *dies Dominici*, le jour du Seigneur, qui avait été jusque-là le *dies Solis*, le jour du Soleil.

Mais il n'existait plus qu'un seul Dieu, et en Christos tous les autres se rejoignaient.

Constantin, *Pontifex Maximus*, allait être lui aussi empereur unique, tout comme il n'y avait plus qu'un Dieu.

Lorsque j'ai appris par les messagers des communautés des provinces d'Orient que Licinius avait donné l'ordre à ses gouverneurs et à ses légats d'exiger de tous les habitants qu'ils sacrifient aux dieux traditionnels de Rome, lorsque j'ai su que ses soldats avaient commencé à détruire les églises, à flageller, décapiter, crucifier les chrétiens, et que, partout, il appelait les païens à rejoindre son armée afin d'en finir avec

Constantin, l'usurpateur, l'esclave des chrétiens, j'ai compris que la dernière épreuve avait débuté.

J'ai chevauché aux côtés de Constantin le Grand à la tête d'une armée de plus de cent mille hommes.

Devant nous, monté sur un cheval blanc, un porte-enseigne brandissait haut et droit le *labarum*, une croix gainée d'or, sertie de diamants, portant les premières lettres du nom de Christos. Du bras horizontal de la croix pendait un tissu de soie auquel étaient accrochées des pierres précieuses et sur lequel étaient brodés les visages de Constantin et de ses fils.

Ainsi, l'armée de Constantin marchait sous le signe de Dieu. On était dans la trois cent vingt-quatrième année après la naissance de Christos.

Nous avons pénétré en Thrace, la dernière province que possédait Licinius. La chaleur tombait du ciel et montait de la terre sèche, nous enserrant dans ses mâchoires brûlantes.

Constantin s'est élancé, entraînant ses cavaliers gaulois et germains, et l'armée de Licinius, incertaine, apeurée, n'osant regarder le *labarum*, craignant du fond de son âme le jugement de Dieu, s'est débandée.

Quelques milliers d'hommes, avec Licinius, ont réussi à rejoindre Byzance et à s'y enfermer dans l'illusion que la flotte de Licinius, comptant plus de deux cents trirèmes tassées dans le port, pouvait à tout instant les transporter en Asie.

Mais Crispus avait pris le commandement de la flotte de Constantin qui s'est enfoncée comme un coin dans le port de Byzance, détruisant celle de Licinius.

Celui-ci a réussi à passer les détroits et la dernière bataille s'est livrée sur le sol d'Asie, non loin de Nicomédie, à Chrysopolis, le 18 septembre 324.

L'armée de Constantin l'a une nouvelle fois vaincu et Licinius s'est agenouillé, tendant son glaive, se dépouillant de son manteau de pourpre.

J'ai osé saisir le poignet de Constantin. J'ai retenu son bras armé du glaive et dit :

— Il n'est plus qu'un corps sans âme, déjà.

— Un loup mord tant qu'une goutte de sang coule encore dans ses veines.

— Regarde-le, regarde-toi.

L'un était à terre, comme une branche morte ; l'autre, glaive en main, était imposant, martial. Et près de lui flottait le *labarum* divin.

— Ne le tue pas, a gémi Constantia en s'accrochant au bras de son frère. Que t'apporterait sa mort, maintenant ? Tu me l'as donné pour époux. Qui peut te menacer, Constantin ? Seul Dieu le pourrait. Et tu es l'empereur que Christos a choisi.

Constantin a hésité puis a détourné la tête. J'ai vu son expression de mépris et de dégoût.

Il a lancé des ordres.

Qu'on emprisonne Licinius, de l'autre côté des détroits, dans la plus obscure, la plus profonde geôle de la forteresse de Thessalonique.

Deux centurions ont entraîné le vaincu.

En cohortes, les soldats se sont rangés devant l'empereur et ont crié :

– Gloire à Constantin le Grand ! Loué soit l'empereur unique, protégé des dieux ! Vive *Maximus Augustus* !

Constantin s'est avancé vers eux. Dans sa main droite il tenait le glaive, la gauche brandissant le *labarum*.

– Le signe de Christos nous a montré le chemin de la victoire ! a-t-il lancé. Gloire au Dieu unique !

Les soldats ont levé leurs enseignes païennes et répété :

– Gloire au Dieu vainqueur !

J'ai vu tout à coup Constantin tourner la tête.

J'ai suivi son regard.

Au-delà des cohortes, j'ai aperçu les deux centurions qui encadraient Licinius. Le corps du
vaincu paraissait déjà aussi inerte qu'un cadavre.

À l'expression du visage de Constantin j'ai su
qu'il serait assassiné au fond de sa prison.

Ainsi avaient toujours agi les empereurs avec
leurs captifs.

J'ai baissé la tête.

L'homme choisi par Dieu n'était qu'un homme.

SIXIÈME PARTIE

26.

J'ai côtoyé et observé cet homme qui, désormais, gouvernait seul l'empire du genre humain.

Il changeait, comme si les acclamations et les louanges transformaient et son corps et son caractère.

Chacun de ses gestes, chacune de ses mimiques et de ses postures, bras croisés, le regard fixe, exprimait l'assurance et l'arrogance.

On l'avait surnommé dans sa jeunesse « Trachala », et ce gros cou, cette nuque épaisse qui révélaient sa force, sa détermination, son obstination, ses épaules et son torse s'étaient encore élargis.

Il ressemblait à une statue taillée dans un seul bloc d'une pierre rugueuse. Quand il s'approchait, je voyais l'inquiétude et même la peur figer ceux vers qui il s'avançait, comme s'ils avaient craint qu'il ne les écrasât.

Plus souvent qu'autrefois il serrait les poings,

et la fureur conférait à ses traits rudes une expression d'implacable violence.

C'était comme si, emporté par la colère, il avait rejeté son manteau de pourpre, sa tunique blanche bordée d'un galon d'or et recouverte de pierres précieuses, déposé le *labarum*. Il n'invoquait plus Christos, il était redevenu le jeune homme contraint à Nicomédie de combattre dans l'arène les plus redoutables des gladiateurs, les plus puissants des ours et des lions.

Il les avait terrassés, égorgés, tout comme il avait triomphé de Galère, vaincu et tué Maximien et Licinius, défait les armées de Maxence, les hordes des Goths et des Alamans.

Il était bien celui que les soldats, les sénateurs et la plèbe appelaient le « Vainqueur perpétuel ».

Dans son regard, je percevais la ruse et la défiance, la volonté, le courage, mais aussi l'impitoyable détermination et même une tranquille cruauté. Il avait dû conjuguer le bien et le mal pour l'emporter ainsi tout au long de sa vie.

L'angoisse m'étreignait.

J'avais montré à cet homme-là le signe de Christos. Et il avait brandi le *labarum*, imposé sa loi aux évêques rassemblés en Arles, distribué pouvoirs et biens à nos églises, à nos communautés. Mais son âme était-elle celle d'un chrétien ou bien s'était-il servi de nous, chrétiens, pour régner seul sur l'Empire ?

Avait-il pu, par notre faute, abuser Dieu ?

Je le suivais dans les dédales du palais impérial, à Rome.

Il souhaitait que je reste près de lui même lorsqu'il entrait dans les chambres où se tenaient l'impératrice Fausta et ses enfants.

Il s'asseyait parmi ses fils Constantin, Constance, Constans. Il caressait les cheveux de ses filles, Hélène et Constantina.

Son attitude, sa tendresse me rassuraient. Il aimait les siens.

Il s'approchait de son épouse, Fausta, dont la beauté et la blondeur m'éblouissaient, me forçant à baisser les yeux. Le regard de cette femme me pénétrait. Je me défiais des silences qui accompagnaient ses sourires. Ils m'inquiétaient et me glaçaient comme si j'avais eu en face de moi une tigresse aux aguets, dissimulant ses crocs et ses griffes, mais prête à bondir.

Je ne pouvais oublier qu'elle était la fille de l'empereur Maximien, un persécuteur, un homme que l'on avait retrouvé étranglé après qu'il se fut rendu à Constantin.

Comment Fausta ne s'en serait-elle pas souvenue ?

Elle était aussi la sœur de l'empereur Maxence, vaincu par Constantin et que les eaux du Tibre avaient englouti avant de rejeter son corps dont un Gaulois avait tranché la tête afin de la présenter à Constantin.

Parfois je craignais que Constantin, face à la beauté juvénile de Fausta, à ses charmes de femme rouée, n'en vînt à baisser la garde, à oublier que son épouse, la mère de ses enfants, était aussi une fille et une sœur meurtries, une ambitieuse avide.

Puis je le voyais reculer d'un pas comme un combattant qui, dans l'arène, jauge son ennemi.

Et j'étais rassuré.

Constantin ne serait pas facile à vaincre. Celui ou celle qui essaierait de le tromper, de le trahir, devrait l'abattre, car la riposte serait fulgurante – comme un javelot lancé.

Je ne le voyais sans crainte déposer son armure et son glaive que lorsqu'il se trouvait en compagnie de sa mère, Hélène.

J'avais connu cette femme à Drepanum, petite cité proche de Nicomédie. Là, Constantin avait épousé Minervina. Un fils, Crispus, leur était né.

242

J'avais été ému, il y avait déjà près de vingt ans, quand j'avais découvert le lien d'amour profond qui unissait Hélène et Constantin. Elle avait été l'épouse que Constance Chlore avait répudiée pour épouser Theodora, fille de la première épouse de Maximien.

Hélène avait donc été humiliée, rejetée, contrainte de quitter, avec son fils Constantin, le palais impérial de Trèves pour la demeure au sol battu de Drepanum.

Je l'ai retrouvée à Rome au lendemain de la victoire sur Licinius. Elle était agenouillée et priait Christos qu'elle remerciait d'avoir hissé son fils au plus haut pouvoir qu'un homme puisse posséder.

En exil, sans craindre les délateurs et les persécuteurs, les hommes de Galère et de Maximin Daia, elle avait reçu le baptême.

– Je prie pour mon fils et mon petit-fils, me murmurait-elle tandis que Constantin s'éloignait et qu'elle me retenait en m'agrippant le bras. Veille sur Constantin et sur Crispus ! insistait-elle. J'ai peur pour eux. Ils ont besoin de nos prières.

Qui pouvait les menacer ? Constantin était l'empereur unique dont on allait célébrer le long règne. Il avait été acclamé par ses soldats, empereur, il y avait de cela près de vingt ans, en Bretagne. Depuis lors, avec patience et énergie, d'habiles manœuvres en guerres gagnées, il avait conquis tout le pouvoir. Et sans jamais oublier ce qu'il avait vécu dans son enfance, en honorant sa mère du titre d'impératrice.

Cependant, Hélène Augusta s'inquiétait pour le fils, cet homme puissant qui approchait les quarante-cinq années.

Et elle m'avait demandé d'appeler aussi la grâce de Christos sur la tête du fils aîné de Constantin, Crispus.

J'avais de l'affection pour ce jeune césar d'un peu plus de vingt ans.

Il avait la force et le courage de son père, mais son visage était plus fin, sa maîtrise plus grande.

Constantin avait été taillé dans une pierre à gros grains ; son fils Crispus, dans un marbre lisse.

Mais, sur le Rhin, face aux Alamans et aux Francs, il avait montré qu'il était un chef de guerre. Et à la tête de la flotte de Constantin il avait vaincu, à Byzance, les trirèmes de Licinius. On le louait comme le successeur naturel de Constantin.

Qui eût pu le menacer ? Il était choyé, flatté, et se montrait un fils admiratif et soumis.

Je l'apercevais souvent, marchant aux côtés de Licinius le Jeune, le rejeton de Licinius et de Constantia, la demi-sœur de Constantin.

L'un et l'autre étaient chrétiens, et j'imaginais qu'à travers eux, quand Dieu rappellerait à lui l'empereur régnant, l'Empire chrétien se perpétuerait.

Déjà Constantin avait choisi Crispus comme gouverneur de la Gaule, et cela m'avait paru indiquer qu'il préparait sa succession.

J'ai donc prié sans inquiétude pour l'empereur et son fils, pour l'Empire chrétien.

Puis, un jour que je me dirigeais seul vers la grand-salle du palais impérial, j'ai vu surgir en face de moi, dans la pénombre, Fausta, fille et sœur de persécuteurs.

Son visage était tendu, ses mâchoires crispées, ses lèvres serrées.

– N'oublie pas mes fils dans tes prières, m'a-t-elle dit d'une voix rude. Ils sont de lignée impériale. Que personne ne les oublie !

Puis elle s'est éloignée.

J'ai appris peu après que Constantin avait

octroyé au premier fils qu'il avait eu avec Fausta, Constantin le Jeune, le titre de césar, et que, ce faisant, il l'avait élevé ainsi au même rang que Crispus.

J'ai craint, tout à coup, qu'entre Crispus et les fils de Fausta ne vienne se glisser le serpent de la jalousie. Et que Fausta, fille et sœur de persécuteurs, Fausta la perverse ne s'empresse de nourrir le reptile.

Constantin saurait-il faire face à ce démon ?

J'ai deviné des manœuvres, j'ai entendu des rumeurs. Qui répandait ce venin ?

On rappelait que l'empereur Dioclétien avait, en homme sage, abdiqué après vingt ans de règne. Or Constantin ne s'apprêtait-il pas à les célébrer ?

Il avait auprès de lui des fils. Et d'abord l'aîné, Crispus, aux éminentes qualités, chef de guerre et gouverneur plein de prudence, d'habileté, lettré, instruit par les meilleurs rhéteurs, et chrétien depuis l'enfance, donc, homme des temps nouveaux.

Pourquoi Constantin ne s'effacerait-il pas à son profit ?

N'était-ce pas ce que souhaitait Crispus ? Ce à quoi il se préparait ?

Ce que tant de chrétiens espéraient ?

Parfois, alors qu'on acclamait Crispus, qu'on

tressait ses louanges, je saisissais une expression qui tordait la bouche de Constantin. Fugace, cette moue, mais j'en tressaillais.

Je pressentais que le poison avait commencé à faire son œuvre.

J'ai voulu protéger Constantin contre lui-même.

Une nouvelle fois je lui ai proposé de recevoir le baptême, de ne plus être seulement celui qui invoque le nom de Christos, qui parle au nom des chrétiens, les protège et les comble de bienfaits, mais celui qui est chrétien, dont l'âme est pénétrée par les vertus de pardon, de compassion et de tendresse de notre religion.

Il a plissé les paupières, aiguisant entre elles son regard.

— Pourquoi t'inquiètes-tu, Denys ? N'ai-je pas donné assez de preuves de ma foi ? Ce que j'ai accompli ne te suffirait-il pas ? Dieu, Lui, m'a accueilli et récompensé, puisqu'Il m'a accordé toutes les victoires. Que crains-tu ? Je recevrai le baptême à la veille de ma mort, pour me présenter devant Dieu lavé de toutes mes fautes.

Il a souri et ajouté :

— Jusque-là, je suis et serai ce que j'ai été.

Il voulait conserver unies en lui la toute-puissance de Christos et la sauvage violence de l'homme qui avait combattu et tué dans l'arène.

J'ai vu à l'œuvre cet homme double qu'était Constantin et je l'ai servi pour le bien de l'Église chrétienne.

J'ai marché à ses côtés dans les rues de Rome et j'ai vu les chrétiens lui faire cortège. On l'acclamait. On criait que, grâce à lui, naissait sur terre le royaume de Dieu.

Sur les corps des plus âgés de ces hommes, mes frères en Christos, je voyais les séquelles encore purulentes des supplices qu'ils avaient endurés aux temps, si proches encore, où les persécuteurs, les empereurs païens régnaient.

L'un de ces chrétiens montrait ses moignons, l'autre son œil crevé. Ils remerciaient Constantin de les avoir délivrés du mal.

Ils n'imaginaient pas que leur protecteur, qu'ils appelaient leur sauveur, n'avait pas encore reçu le baptême.

Ils l'entouraient sur les chantiers des basiliques dont il avait ordonné la construction, là où des chrétiens avaient été suppliciés.

Ils savaient que Constantin avait interdit qu'on crucifiât les condamnés, la croix étant le signe de Christos.

Ils voyaient que la première basilique, celle qui portait son nom, était presque achevée et que le marbre et les mosaïques qui en recouvraient les murs, les cent colonnes qui soutenaient ses cinq nefs provenaient de temples où l'on avait naguère célébré les divinités païennes.

Cette époque-là, où l'on sacrifiait pour Jupiter, Apollon, *Sol invictus* ou Hercule, était bien révolue.

Constantin le voulait.

J'ai longé avec lui les remparts de Rome, la via Tiburtina, la via Ostiensis.

J'ai traversé à ses côtés les ponts du Tibre, marché jusqu'aux collines. Partout des chrétiens nous accueillaient.

Là, sur la via Ostiensis, en ce lieu on l'on avait crucifié l'apôtre Paul, Constantin, d'une voix forte, celle d'un empereur qui avait commandé sur les champs de bataille les légions de Rome et avait vaincu Barbares et païens, exigea qu'on entreprît aussitôt d'élever une basilique.

Et sur l'autre rive du Tibre, là où Pierre l'apôtre, premier évêque de Rome, avait été crucifié la tête en bas, il lança les mêmes ordres et fit taire les quelques Romains qui objectaient qu'il faudrait, pour élever la basilique, bouleverser un cimetière qui s'étendait à cet endroit.

Les esclaves se mettaient déjà au travail.

Certains d'entre eux avaient reçu l'assurance qu'ils seraient bientôt affranchis puisque les évêques avaient obtenu de Constantin le droit de les libérer de leur servitude.

Dans de nombreux quartiers de Rome, des églises nouvelles, quand ce n'étaient pas d'anciens temples païens, avaient été voués au culte de Christos.

Ainsi, l'empereur changeait le visage de Rome.

Alors que nous parcourions les rues, j'apercevais des silhouettes de femmes qui s'esquivaient ou se dissimulaient en hâte.

Parfois des soldats se saisissaient de l'une d'elles, femme au visage maquillé, à la tunique échancrée, que l'on traînait devant l'empereur. Il rappelait qu'il avait interdit la prostitution. Il ne voulait plus que Rome fût un lupanar, la ville païenne et débauchée qu'elle avait été.

Rome devait être chrétienne, vertueuse.

C'en était fini du concubinage, des répudiations, des enfants vendus pour n'être que des objets de plaisir.

L'empereur voulait que l'enfant fût aimé dans sa famille, que la ville fût nettoyée de cette boue de luxure et d'orgies qui l'avait ensevelie, et d'abord les palais des empereurs.

Je savais que la vie de Constantin n'était pas exemplaire.

Qu'était devenue Minervina, la jeune mère de Crispus, répudiée, comme l'avait été Hélène, la propre mère de Constantin, parce que les nouvelles épouses, celle de Constance Chlore, Theodora, et celle de Constantin, Fausta, étaient de lignée impériale ?

Les lois qu'il promulguait n'en imposaient pas moins la vertu.

Et je pensais qu'un jour viendrait où les deux faces de Constantin se confondraient.

Alors l'homme qui faisait naître l'Empire chrétien serait lui-même devenu un chrétien.

Mais, pour l'heure, même si la main du semeur était encore souillée, elle répandait déjà sur la terre le bon grain.

27.

Je l'avoue avec humilité : c'est moi, Denys, qui, au printemps de l'an 323, ai rempli de semences le sac de Constantin le Grand.

Un jour de mars, je suis entré dans la salle d'audience du palais impérial et je me suis immobilisé face à Constantin sans me mêler aux courtisans et aux conseillers qui l'entouraient.

Je l'ai regardé. Je savais qu'il allait comprendre que j'attendais qu'il fût seul pour lui parler.

Le temps a passé et je n'ai pas bougé. Enfin, Constantin s'est levé et, comme un vol de moineaux, les hommes qui se pressaient autour de lui se sont écartés. Il est venu vers moi et m'a entraîné dans l'atrium.

J'avais écouté toute la nuit les récits de Cyrille.

Il était mes yeux et mes oreilles. Je savais que sa parole était de vérité.

Il avait parcouru à ma demande les provinces

d'Orient, de Nicomédie à Tarse, d'Antioche à Alexandrie.

Je m'inquiétais des communautés chrétiennes de Bithynie, d'Asie et de Phrygie, de Syrie et d'Égypte. Elles avaient subi la plus longue et la plus cruelle des persécutions. Maximin Daia et Licinius avaient plongé leur haine païenne rougie au feu dans les corps chrétiens. Et je savais que les chairs des survivants étaient encore pantelantes, que la souffrance et le martyre avaient exalté les âmes. Les chrétiens n'étaient plus menacés. Sur ordre de Constantin, on avait rendu leurs biens aux églises, mais les âmes restaient inquiètes, déchirées, meurtries.

Cyrille avait confirmé mes craintes.

En Égypte, des hommes retirés dans le désert, des ascètes aussi maigres que des roseaux du Nil, s'étaient rassemblés autour d'un prêtre, Arius, qui prétendait que seul Dieu était Dieu, que le Fils et le Saint-Esprit n'étaient que des intermédiaires entre Lui et les humains. Des prêtres, des évêques, des portefaix, des pauvres, des jeunes vierges avaient rejoint Arius. L'évêque d'Alexandrie, Alexandre, l'avait condamné. Il avait tenté de convaincre qu'Arius, en refusant l'incarnation de Dieu en Christos, l'union entre les trois espèces, contestait ce qui était le cœur de notre foi. Christos était pour les chrétiens pleinement Dieu et Homme. En chaque homme il y avait de Dieu, parce que Christos avait souffert et était mort comme un homme avant de ressusciter comme Dieu.

Cyrille m'avait rapporté ces violents débats entre chrétiens. On s'insultait. On évoquait les persécutions subies, l'attitude de tel ou tel devant les soldats et les bourreaux. On accusait celui-ci, qui avait été lâche. Celui-là avait renié sa foi, devenant *lapsi* et apostat. Tels autres n'avaient-ils pas déserté et renoncé ? Et quelle pénitence devait-on infliger à ceux qui avaient failli, avant de leur pardonner, de les accueillir à nouveau dans la communauté chrétienne ?

J'avais cru ces questions résolues au concile d'Arles, mais elles resurgissaient, envenimant la controverse sur l'unité de Dieu, du Fils et du Saint-Esprit.

Constantin avait, en Arles, choisi la clémence. Et voici qu'on ne tenait pas compte de sa décision. Les querelles troublaient la paix et l'ordre dans les provinces d'Orient.

Cyrille m'avait dit que dans certaines villes d'Égypte, mais aussi en Palestine et en Syrie, les partisans d'Arius et ceux d'Alexandre s'affrontaient comme des ennemis, ne se contentant pas

255

de prêcher, mais rouant de coups leurs adver-saires, menaçant de les chasser après les avoir dépouillés de leurs biens.

Fallait-il donc que, la persécution des païens ayant cessé et la religion de Christos étant enfin reconnue par l'empereur, l'Église se déchire et que certains croyants s'emploient à détruire le Dieu unique ?

Quel démon voulait ainsi briser l'unité de la foi ?

J'ai exposé cela à Constantin cependant que nous marchions dans l'atrium du palais impérial.

Il s'est arrêté plusieurs fois, ne m'interrompant pas mais me fixant cependant que je lui répétais que l'Église souffrait, que des communautés chrétiennes se fendaient comme des fruits malades, et que, si on ne soignait pas l'arbre, il ne donnerait plus que des fruits crevassés, que l'Église qui devait être celle du Dieu unique allait, si on laissait les partisans d'Arius prêcher, s'émietter en cent croyances.

– Que veux-tu ? m'a demandé Constantin.

– Je te dis ce qui est et ce qui peut advenir.

J'ai vu son visage se contracter. Puis il m'a tourné le dos et s'est éloigné.

J'avais rempli son sac de semences. Il a suffi d'un jour pour qu'il y plonge la main.

J'ai vu entrer au palais impérial le nouvel évêque de Rome, Sylvestre. Il est ressorti au bout de quelques instants seulement de la salle d'audience, la tête baissée. Il m'a chuchoté que Constantin se conduisait en *Pontifex Maximus*, en maître de l'Église, qu'il avait convoqué un concile de tous les évêques de l'Empire, qu'il offrait à chacun d'eux l'usage de la poste impériale, des cadeaux, et l'accueil en son palais de Nicomédie.

C'est ainsi que j'ai appris que ce concile se tiendrait à Nicée, un port de la côte de Bithynie, à quelques heures de route seulement de Nicomédie.

J'ai lu la lettre que Constantin avait adressée à chacun des évêques : « Je veux vous voir rassemblés pour qu'avec le concours du Dieu sauveur nous empêchions le démon de diviser notre foi. »

Il reprochait à Arius et à l'évêque d'Alexandrie de s'être opposés à propos de vaines querelles : « Elles peuvent bien servir à l'exercice de l'esprit, mais doivent être renfermées en vous-mêmes et non lancées à la légère dans les réunions publiques ou confiées aux oreilles du peuple. Je veux que l'unité règne dans l'Église parce que je veux que l'Empire connaisse l'unité, le bonheur et la paix. »

Que les chrétiens me jugent : j'avais rempli le sac. Constantin avait semé, excluant le pape du concile et prenant sa place.

Je fus à ses côtés dans le palais impérial de Nicomédie, puis dans celui de Nicée.

Constantin s'est avancé au milieu des trois cent dix-huit évêques, vêtu de sa tunique ornée de pierres précieuses, marchant d'un pas majestueux, bras croisés, mais manifestant son respect pour les évêques, les comblant de présents, leur offrant de somptueux banquets, ne s'asseyant sur son trône d'or que lorsqu'ils avaient eux-mêmes pris place.

Il leur dit d'une voix qu'il voulait modeste :

— Je ne suis que l'évêque du dehors.

Et je me suis souvenu de cette phrase qu'il avait déjà prononcée au lendemain du concile d'Arles, il y avait plus de dix ans.

Je suis allé d'un évêque à l'autre, lisant sur leurs visages l'étonnement, le ravissement, le plaisir.

Tous avaient subi des humiliations et un grand nombre d'entre eux avaient été torturés ; celui-ci ou celui-là montrait, comme les chrétiens dans les rues de Rome, ses plaies encore ouvertes.

Et voici qu'ils siégeaient en face de l'empereur qui était bien, en l'absence du pape Sylvestre, le *Pontifex Maximus* de cette assemblée.

Les évêques en étaient flattés, comme engourdis par la magnificence des lieux, la prodigalité impériale, les honneurs que les cohortes alignées dans les cours des palais leur rendaient.

J'observais Constantin. Il écoutait les discours des uns et des autres. Il levait le bras pour empêcher que ne se développât une dispute entre les orateurs qui se contredisaient.

Il parlait en grec, comme un rhéteur ou un philosophe. Il tressait des louanges aux uns, entourait les quelques partisans d'Arius d'un silence si prolongé qu'il en devenait menaçant.

Puis, un jour, à la fin de mai, il s'est brusquement levé alors que parlait un évêque proche d'Arius qui, surpris, s'est aussitôt interrompu, cependant que Constantin criait, son visage exprimant la colère, la fureur, même :

– C'est assez !

Il martela :

– Nous croyons en un seul Dieu, Père tout-puissant, Créateur de toutes choses visibles et invisibles. Et en un seul Seigneur, Christos, le Fils de Dieu, Dieu de Dieu, lumière de lumière, engendré mais non pas fait, de même substance que le Père.

Que les chrétiens me jugent.

J'ai été heureux que la parole de Constantin, l'empereur unique, tranchante comme un glaive, condamne Arius, ennemi du Dieu unique, à l'exil.

Quelques jours plus tard, le 19 juin 325, j'étais assis à la droite de Constantin le Grand lors du banquet offert par l'empereur aux évêques, dans son palais de Nicomédie, avant leur départ pour leurs provinces.

Le trône de Constantin était d'or, comme les plats et les couverts, les gobelets placés devant chaque prélat.

C'était le vingtième anniversaire du jour où, pour la première fois, des soldats l'avaient acclamé comme empereur. Il était devenu l'unique maître de l'empire du genre humain.

Les évêques se sont levés pour l'honorer, prier pour lui, le remercier des cadeaux qu'il leur offrait, des pouvoirs nouveaux qu'il leur accordait, des règles de vertu qu'il imposait aux prêtres.

Constantin a dit :

– Vous êtes la voix de Dieu, les représentants de Christos. Soyez à son image : purs. Rejetez les tentations !

Lui, qui n'était encore qu'un païen, s'exprimait comme le *Pontifex Maximus* de l'Église chrétienne.

Il lui imposait d'être unie et puissante, telle que je la voulais.

J'avais rempli son sac de semences. Il semait. Il arrachait l'ivraie. Il récoltait.

Et l'Église engrangeait.

À la fin du banquet, avant de quitter la salle, Constantin a lancé :

– Tous les chrétiens ensemble adorent Dieu qui voit tout !

Les évêques ont répété ces mots d'une seule et même voix.

Je les murmure encore.

Que Dieu me juge, Lui qui voit tout.

28.

Dieu a donc vu ce que j'ai vu.

J'étais aux côtés de Constantin sur le quai du port de Nicée.

Les navires qui devaient reconduire l'impératrice Fausta et les évêques d'Occident jusqu'à Aquilée, Ostie et Massalia étaient alignés devant nous.

Les marins s'affairaient, achevant d'embarquer les coffres, les arrimant sur le pont.

Crispus, qui devait commander cette flotte, passait d'un bord à l'autre, s'agrippant aux cordages, bondissant. Et la foule tenue à distance par les soldats l'acclamait à chacun de ses sauts.

Il paraissait s'envoler, et son corps juvénile, jambes et bras écartés, semblait pouvoir rester suspendu entre les navires au-dessus de la mer.

Tout à coup, j'ai vu s'avancer l'impératrice Fausta. Elle longeait le quai, entourée par ses gardes, suivie par ses enfants et ses affranchies. La brise soulevait les voiles qui enveloppaient son corps. Lorsqu'elle ne fut plus qu'à quelques pas de l'estrade sur laquelle je me trouvais, derrière l'empereur, j'ai remarqué qu'au lieu de regarder Constantin elle tournait la tête vers les navires, suivant des yeux la course de Crispus qui, comme s'il jouait, continuait de sauter d'un navire à l'autre.

J'ai vu le sourire rêveur, extasié, même, de l'impératrice.

J'ai regardé Constantin. Il observait lui aussi la scène et son visage exprimait de l'étonnement mêlé de fureur.

J'ai craint que le poison de la jalousie ne se répande en lui.

Je savais que son âme était vulnérable à ce venin.

J'ai vu ses poings se serrer alors que des courtisans, croyant lui plaire, couvraient Crispus d'éloges excessifs.

L'un d'eux a lancé à l'empereur :

– C'est le fils de ta jeunesse, celui que tu as fait avec ton meilleur sang.

Tout le visage de Constantin s'est alors contracté.

J'ai regardé à cet instant l'impératrice Fausta. Elle avait pâli. Elle pensait à ses propres fils, Constantin le Jeune, Constance et Constans.

Devraient-ils se soumettre à Crispus, n'avaient-ils pas la même valeur, les mêmes droits que le « fils de la jeunesse », ce Crispus à l'insolente beauté, aux talents guerriers et à l'éducation chrétienne ?

C'est à ce moment-là que la rumeur courut dans les palais impériaux de Nicomédie et de Nicée que Constantin songeait à proclamer Crispus auguste, le désignant ainsi comme son successeur. Et, durant quelques jours, Fausta a erré dans les salles des palais comme une louve cherchant la pitance pour ses petits.

Elle avait appris que Constantin avait donné l'ordre de graver et de fondre une pièce d'or portant sur une face son profil et, sur l'autre, celui de Crispus.

Je n'avais pas vu cette pièce-là, mais d'autres dont le dessin m'inquiétait, montrant Constantin la tête auréolée comme celle d'un dieu ou d'un saint.

Au fur et à mesure que se déroulait le concile et que montaient les approbations, les acclamations des évêques, que se manifestait leur soumission à celui qui se proclamait *Pontifex Maximus*, maître de l'Église chrétienne, donc, lui qui n'avait pas encore reçu le baptême, j'avais déjà constaté que Constantin changeait.

Il paraissait d'une taille plus élevée, comme s'il avait réussi à étirer son corps, le rendant encore plus majestueux.

Il regardait le ciel au-dessus de l'horizon comme si, devant lui, les hommes qui l'entouraient, fussent-ils évêques, n'avaient été que des êtres appartenant à une espèce inférieure, ou, s'ils étaient hommes, qu'il était, lui, un dieu, en tout cas si proche de Dieu, celui-ci étant unique, qu'il pouvait passer pour l'une de ses incarnations.

Et voici que, brusquement, sur ce quai du port de Nicée, la jalousie lui plantait ses crocs dans le talon, et la douleur de la morsure et le venin qui s'insinuait le faisaient pâlir.

Il a crié et j'ai deviné que, sur l'estrade comme sur les navires, personne n'a compris l'ordre qu'il avait lancé.

Cependant, Crispus est retombé lourdement sur l'un des ponts et s'est immobilisé.

Et l'impératrice Fausta s'est inclinée au pied de l'estrade. Elle a écarté les bras, soulevant ainsi ses voiles, faisant glisser ses bracelets d'or et d'argent sertis d'émeraudes. Elle avait le visage si fardé – les yeux cerclés de vert et de noir, les joues blanchies, les lèvres d'un rouge sang – qu'elle paraissait porter un masque.

Elle a fait avancer ses fils Constantin le Jeune, Constance, Constans, ses filles Hélène et Constantina, et a dit d'une voix forte :

– Voici ton sang et ta chair.

Puis, plus bas, comme une supplique :

– Ne les oublie pas.

Constantin a levé la main et les tambours des chiourmes ont commencé à battre lentement, c'était comme un grondement encore lointain.

L'impératrice Fausta, ses enfants, ses gardes, ses suivantes ont reculé et se sont dirigés vers le navire sur lequel, les mains agrippées aux cordages, se tenait Crispus, telle une figure de proue.

Constantin s'est retourné. Une moue rageuse déformait son visage. Sans plus regarder les navires, il a levé une nouvelle fois la main, et la cadence des tambours des chiourmes s'est accélérée.

Mon cœur s'est affolé comme si j'avais déjà imaginé ce qui allait advenir.

29.

Je veux dire la vérité sur ce qui a eu lieu et ce que j'ai ressenti.

J'ai quitté l'estrade dressée sur le quai au moment où les navires s'ébranlaient dans le grondement continu des tambours de la chiourme.

J'ai aperçu côte à côte Crispus et l'impératrice Fausta. Le fils de Constantin dépassait de la tête l'épouse de son père. Il regardait droit devant lui, vers l'estrade, comme s'il avait voulu croiser les yeux de Constantin. Mais Fausta avait la tête levée vers Crispus, semblant oublier qu'elle était l'impératrice et se conduisant comme une femme encore jeune attirée par la juvénile beauté d'un mâle.

J'ai prié pour que Constantin, qui marchait devant moi, ne se retourne pas, ne découvre pas la scène.

Mais il s'est immobilisé et, lentement, a fait face à la mer.

Je pense que Dieu voulait qu'il vît.

Constantin devait affronter l'épreuve du poison qui envahit l'âme.

Dieu voulait savoir si l'empereur avait enchaîné le gladiateur, le tueur, l'empereur païen qui logeaient encore en lui.

J'ai tremblé.

Je savais que le païen était encore libre de ses mouvements dans le corps et l'âme de Constantin. Que l'empereur pouvait libérer en lui la violence du gladiateur et du tueur.

J'ai supplié Dieu d'empêcher ce qui allait advenir. Mais Dieu voulait que les hommes choisissent librement, qu'ils jugent eux-mêmes de leurs actes.

Pour se défier de l'ivresse, il faut avoir vomi ses entrailles et roulé dans cette fange.

Pour devenir empereur chrétien, peut-être Constantin devait-il d'abord agir avec la cruauté d'un Néron.

Si je le pense aujourd'hui, c'est que je sais comment s'est achevée la vie de Constantin. Mais, quand je quittai l'estrade dressée sur le quai du port de Nicée, l'inquiétude et même l'effroi me serraient la gorge.

Après avoir vu son fils et sa femme côte à côte à la proue du navire, Constantin s'est mis en marche. Son corps m'a paru tassé. Sa nuque, enfoncée dans les épaules, était réduite à trois gros plis de chair brune recouverts d'un léger duvet noir.

Hélène Augusta m'a rejoint, avançant à mes côtés.

Elle m'a murmuré :

– Tu as vu Fausta ? Elle est fille de Maximien et sœur de Maxence : deux persécuteurs, tu le sais. C'est un démon, la luxure et le sacrilège incarnés. Un serpent. Elle va, je le sais, enlacer Crispus pour mieux l'étouffer. Elle veut que ses fils règnent, et, pour cela, il faut que Crispus meure. Elle va le tuer ou le faire tuer. Il est chrétien, Denys ! Il résistera à la tentation, mais elle n'aura de cesse qu'il meure.

Hélène Augusta a tenu ses poings serrés devant son visage.

– Je la tuerai, Denys ! Je tuerai la païenne, fille et sœur de persécuteurs !

Je n'ai pas été le témoin de ce qui a eu lieu à bord du navire, puis dans le palais impérial d'Aquilée.

Je sais seulement que Constantin, peu après le départ des vaisseaux, a décidé de rejoindre cette cité par voie de terre, et au plus tôt.

Nous avons chevauché six jours, traversant la Thrace, la Mésie, la Dalmatie, et, quand nous sommes arrivés et que nous sommes entrés dans le palais impérial, Constantin s'est aussitôt dirigé vers la chambre de Fausta.

Et je suis resté noyé dans l'obscurité et le silence qui stagnaient dans les grandes salles.

Parfois, j'entendais des chuchotements d'esclaves, le glissement de leurs pas sur le marbre des vestibules.

Puis, tout à coup, près de moi, sans que je l'aie vu approcher, j'ai découvert Hésios, le grand prêtre d'Apollon et de *Sol invictus*.

Il m'a pris le bras et m'a raconté que, sur le navire, Fausta avait tenté de séduire Crispus – en vain. Mais elle l'accusait maintenant d'avoir abusé d'elle, commis le sacrilège de l'inceste et fomenté, en compagnie de Licinius le Jeune, un complot pour chasser Constantin, régner à sa place : Crispus en Occident, Licinius le Jeune en Orient.

– Voilà ce qu'elle prétend.

Hésios m'a confié qu'il avait sacrifié plusieurs taureaux, depuis son arrivée à Aquilée, pour demander à Mithra, à Apollon, à *Sol invictus* d'inspirer à Constantin les justes décisions. Mais l'empereur était aveuglé par la jalousie.

— Je crains, a-t-il conclu, que Fausta n'impose un de ses fils comme successeur de Constantin afin de régner elle-même. Or je ne veux pas qu'une femme gouverne l'Empire. Les dieux ne le souhaitent pas. Prie Christos, Denys ! Que nos dieux s'allient pour protéger l'empereur de la contagion du venin !

Mais j'ai vu le corps de Constantin se ramasser comme celui d'un fauve qui s'apprête à bondir sur sa proie. J'ai vu son visage grimacer de colère. J'ai entendu sa voix hurler : « La mort, la mort pour tous les deux ! »

Je me suis avancé vers lui et j'ai murmuré les mots « enquête », « procès ».

Je voulais que le temps, en s'écoulant, épuise la colère de Constantin et sa soif de vengeance.

Mais il m'a écarté d'un geste si violent que j'en chancelai.

J'appris qu'il avait donné l'ordre qu'on arrêtât son fils, Crispus, et Licinius le Jeune, le fils de Constantia, sa demi-sœur.

Il allait et venait dans le palais, la bouche pleine de mots qu'il remâchait, accusant Crispus auquel, disait-il, il avait tout offert, qui était le fils adulé de sa jeunesse, d'avoir tenté d'abuser de Fausta, puis d'avoir voulu, avec Licinius le

Jeune, le tuer, le traître, cherchant à lui voler son épouse et l'Empire.

« Qu'on les tue, qu'on les tue ! » répétait-il.

Sur son ordre ils ont été arrêtés l'un et l'autre à l'issue d'un banquet, embarqués pour la forteresse de Pola, en Istrie, puis, là, torturés et enfin décapités.

Le fils et le neveu.

J'ai vu arriver de Pola les messagers de la mort. Ils se sont inclinés devant l'empereur :

– Tout a été fait selon tes ordres.

– Crispus est mort, a répété alors d'une voix sourde, les yeux hagards, Constantin.

Il a ajouté, en se balançant d'avant en arrière :

– J'ai fait tuer le fils de ma jeunesse, Crispus, mon fils aimé !

Fausta s'est alors avancée, poussant ses enfants vers lui et murmurant :

– Voici ton sang et ta chair.

Constantin a paru ne pas les voir, les a écartés d'un geste, puis, tout à coup, saisissant Fausta par les épaules, la fixant, l'a obligée à baisser les yeux et l'a repoussée en criant :

– Dehors, dehors ! Tous dehors !

Je suis resté et me suis approché.

– Il faut prier pour Crispus et Licinius, et je m'en vais prier pour toi, ai-je dit.

Je savais qu'il aurait pu me faucher avec son glaive, ordonner à ses gardes de m'emprisonner ou de m'exécuter.

Car l'homme qui avait ordonné qu'on torture et exécute son propre fils et son neveu n'était autre que Constantin le païen, le gladiateur, le tueur, Constantin-Néron.

Je l'ai vu hésiter, les mâchoires serrées, le visage exprimant l'amertume, et, brusquement, ses lèvres et ses joues se sont mises à trembler, ses traits ont été déformés par des tics, il est devenu cramoisi. C'était comme si un violent combat se livrait en lui. Puis il a pâli.

– Prie, a-t-il lâché.

Et il s'est éloigné.

J'ai demandé au Seigneur de pardonner à Constantin. Il avait donné l'ordre de tuer son fils et son neveu, mais il avait été empoisonné par les mensonges de Fausta.

J'ai interrogé marins et esclaves.

Ils avaient vu l'impératrice Fausta coller son ventre à celui de Crispus, lui prendre la nuque pour attirer son visage contre le sien, et c'était lui, Crispus, qui l'avait repoussée, qui avait refusé cette femme qui s'offrait.

Elle s'était vengée en l'accusant, provoquant

ainsi la folle colère de Constantin et libérant la route du pouvoir impérial pour ses fils Constantin le Jeune, Constance et Constans.

J'ai prié, hésitant à rapporter ce que j'avais appris à Constantin, car je savais qu'alors sa fureur s'enfoncerait comme une lame rougie dans le corps de Fausta.

Deux femmes éplorées sont venues s'agenouiller près de moi et ont mêlé leurs prières à ma voix.

Hélène Augusta, mère de l'empereur, qui avait élevé Crispus, se lamentait, secouée de sanglots, accusant Fausta la païenne, fille et sœur de persécuteurs, l'avide Fausta, dévorée par le désir d'exercer le pouvoir à travers ses fils, Fausta la menteuse, la perverse, la femme démon, la femme serpent !

Il était de mon devoir, ajoutait-elle, d'éclairer Constantin en lui rapportant ce que je savais, de l'arracher à cet accablement et au remords qui le terrassaient, l'empêchaient de gouverner l'Empire.

Si je n'avais pas le courage de parler à Constantin, elle, sa mère, lui révélerait la vérité. Mais peut-être l'avait-il déjà devinée ?

L'autre femme, la demi-sœur de Constantin, Constantia, mère de Licinius le Jeune, pensait que c'était bien le cas. Constantin, assurait-elle, savait que Fausta était à l'origine de cette machination qui l'avait conduit, lui, à tuer son fils et son neveu.

Constantia se griffait le visage, hurlant la mort de Licinius et de Crispus.

J'hésitais encore.

J'ai reçu Cyrille qui arrivait de Rome. Il me dit que la ville était terrorisée par ces assassinats. Les chrétiens rassemblés autour du pape Sylvestre étaient désemparés. Ils ne pouvaient croire à la culpabilité de leur empereur Constantin, de cet « évêque du dehors » qui avait ouvert tant de chantiers dans Rome pour que la ville païenne fût désormais une cité chrétienne. Il avait offert le palais du Latran au pape. Qu'en serait-il de cette donation si Fausta accédait par ses fils à l'Empire ? Le palais du Latran lui appartenait. Elle voudrait sans doute le reprendre, venger son père Maximien, son frère Maxence. Quel serait le sort des communautés chrétiennes et de l'Église de Christos si l'Empire tombait en de telles mains ?

– Tu le dois, Denys, m'a dit Cyrille. Tu dois parler, pour la vérité et pour l'Église.

Je me suis approché de Constantin.

C'était une fin d'après-midi du mois de juin 326.

Il était assis, seul, dans la grande salle des audiences plongée dans la pénombre.

Les mains croisées, il paraissait prier.

À cet instant j'ai pensé que Dieu avait laissé Constantin ordonner injustement la mort de son fils Crispus et de son neveu Licinius le Jeune pour que, par le regret et le remords, succombe en lui le tueur, le gladiateur, l'empereur païen.

J'ai commencé à parler, mais à peine ai-je prononcé le nom de Fausta qu'il m'a interrompu et chassé d'un geste.

Dans l'antichambre, Hésios m'attendait.

Il m'a entraîné, me chuchotant que les dieux, les siens et le mien, nous avaient entendus. On venait de découvrir aux thermes le corps de Fausta dans une vasque d'eau bouillante. Elle était morte seule, si brûlée que sa peau avait été tout entière dévorée, laissant la chair à vif, les orbites vides, les lèvres rongées.

J'ai fixé Hésios.

— Quelles mains ont fomenté ce meurtre ? ai-je demandé. Quelles mains l'ont poussée, et qui leur en a donné l'ordre ?

— Nos dieux, a répondu Hésios. Ils fixent les sentences.

– Christos laisse les hommes libres d'agir.

Hésios a souri.

– Les dieux et les hommes sont unis comme les doigts de la main, a-t-il énoncé.

Il m'a appris que Constantin avait décrété un deuil de quarante jours à la mémoire de son fils, et qu'il s'apprêtait à faire dresser au cœur du palais impérial une statue en or à son effigie.

Elle porterait, gravée sur son socle, cette inscription :

« À mon fils que j'ai injustement condamné. »

30.

J'ai vu Constantin s'agenouiller devant la statue de son fils.

Il a ployé la tête comme si une lourde main, celle du remords, avait pesé sur sa nuque.

J'ai senti ses mains moites s'accrocher aux miennes pour se retenir, s'empêcher de basculer dans ce gouffre où, chaque jour, il disparaissait, refusant de recevoir les légats et les gouverneurs venus des extrémités de l'Empire, de Bretagne ou d'Égypte, des bords du Rhin ou des rives de l'Euphrate.

Puis il resurgissait, errant dans le palais impérial, jetant autour de lui des regards apeurés comme s'il avait aperçu dans la pénombre des silhouettes menaçantes, comme si, à chaque pas qu'il faisait, hésitant, chancelant, trébuchant, il avait été guetté, suivi, harcelé.

J'ai souffert de le voir ainsi, faible, prostré, ne se ranimant que lorsque apparaissaient ses fils et ses filles. Il les serrait contre lui puis les écartait, les repoussait avec une sorte d'effroi, comme s'il avait été porteur d'une malédiction, d'une peste qui eût pu les menacer.

Je ne le reconnaissais plus.

Parfois il s'enfermait dans sa chambre en compagnie de jeunes esclaves dont les rires aigus me déchiraient. Puis, tout à coup, les portes s'ouvraient avec fracas et les jeunes femmes à demi nues s'enfuyaient, affolées.

J'apercevais Constantin, allongé bras en croix sur son lit souillé de vomissures. Il était ivre, les yeux révulsés, le corps inerte.

J'appelais ses gens, qui le lavaient et le veillaient.

Je convoquais ses médecins, les interrogeais, mais qu'avaient-ils à m'apprendre ? L'un d'eux, un Grec du nom d'Hypos, m'expliqua sentencieusement que le corps de l'empereur était vigoureux comme celui d'un grand arbre.

Je l'ai interrompu :

— Mais son âme est grise, rongée, ai-je objecté.

Hypos a balbutié qu'il n'avait rien suggéré de tel. J'ai vu la terreur creuser ses traits. Car à Rome, depuis les meurtres de Crispus et de Licinius, la mort affreuse de Fausta dont chacun savait qu'elle n'avait rien d'accidentel, mais que

Constantin l'avait ordonnée tout comme il avait voulu l'exécution de son fils et de son neveu, on avait peur. Cet empereur qu'on avait cru généreux et juste, inspiré par Christos, Dieu de la compassion et du pardon, apparaissait tout à coup capable de crimes plus effrayants encore que ceux jadis commis par Néron.

Un homme qui faisait torturer son fils et noyait son épouse dans l'eau bouillante était capable de mettre le feu à Rome et de décider l'extermination de tous ses habitants.

Les chrétiens eux-mêmes s'étaient pris à douter de lui. Ne les avait-il pas trompés ? Faux chrétien, vrai païen ?

J'ai craint que la terre ne s'ouvre sous nos pas, que les murs des basiliques dressées dans Rome ne viennent à s'effondrer, qu'une nuée ardente comme celle qui avait détruit Pompéi, au temps des empereurs païens, ne surgisse du flanc des volcans, que Dieu ne nous ait abandonnés parce que Constantin avait cédé au tueur qu'il avait été et qui vivait encore en lui.

À cet instant, j'ai été sûr, que ce moment que nous vivions constituait la dernière épreuve.

Pour la surmonter, il ne suffisait pas que Constantin eût fait dresser une statue de Crispus et confessé ses crimes. Il fallait que Dieu pardonne, et que, par un signe, Il fasse connaître aux peuples de l'Empire qu'Il accordait encore Sa confiance et Sa protection à Constantin, l'empereur des chrétiens.

C'est la mère de Constantin, Hélène Augusta, qui a obtenu pour son fils le pardon de Dieu.

Quand elle m'a dit qu'elle gravirait à genoux le Calvaire, qu'elle fouillerait la terre de ses mains pour trouver la croix sur laquelle avait été supplicié Christos, j'ai compris pourquoi Dieu l'avait choisie pour être la pénitente et intercéder auprès de Lui.

Elle-même avait été crucifiée par le meurtre de son petit-fils qu'elle avait élevé, et le meurtrier était la part la plus précieuse de sa chair, son propre fils, Constantin, auquel elle avait voué toute sa vie.

Répudiée puis comblée par les victoires de son fils et de son petit-fils, elle avait cru au triomphe de sa lignée, et voici qu'elle avait tout à coup été poignardée, trahie, clouée par la douleur.

– C'est moi, m'a-t-elle dit, qui dois parler pour mon fils.

J'ai voulu l'accompagner en Palestine, mais elle a exigé que je reste auprès de Constantin.

C'est à moi qu'elle adresserait ses messagers.

Il y avait tant d'énergie et de détermination dans ce corps flétri, tant d'amour dans les yeux de cette mère, que j'ai su que Dieu l'écouterait et qu'ainsi Constantin, grâce à elle, retrouverait la force de gouverner l'Empire et la confiance de ses peuples. À commencer par celle des chrétiens.

Hélène Augusta a donc quitté Rome.

Constantin a voulu la retenir. Elle était proche de sa quatre-vingtième année. Le voyage serait long. La terre de Palestine était un désert de pierres consumé par le soleil.

Elle a simplement répondu que, s'il empêchait ce pèlerinage, elle mourrait.

Elle avait parlé sans élever la voix et il a cédé, mettant à sa disposition les relais impériaux, lui offrant une escorte, des fonds illimités pour mener à bien ses recherches, entreprendre la construction de basiliques sur les lieux mêmes où Christos avait vécu et souffert.

J'ai senti Constantin à nouveau habité par l'espérance.

Nous avons accompagné Hélène à Ostie et il est resté sur le quai jusqu'à ce que la trirème impériale se soit enfoncée dans l'horizon.

Je lui ai murmuré :

– Hélène Augusta, ta messagère, recevra la réponse de Christos. Dieu écoutera une mère qui implore le pardon pour son fils.

Il a baissé la tête. Je ne l'avais jamais vu si humble.

À cet instant, j'ai été persuadé que Dieu l'absoudrait.

Les messagers d'Hélène Augusta se sont succédé.

Ils arrivaient de Chypre, d'Antioche, de Césarée, puis de cette petite ville que l'empereur Hadrien avait nommée *Aelia Capitolina* et qui était Jérusalem.

Hélène annonçait qu'elle avait rencontré les évêques de Syrie et de Palestine, qu'elle logeait dans l'ancien palais du roi Hérode, qu'elle avait entrepris des fouilles sur les lieux mêmes où Christos avait été supplicié.

Elle avait prié dans la grotte où il était né, à Bethléem, et sous les oliviers du jardin où il avait vécu sa dernière nuit de liberté. Elle était descendue dans son tombeau.

Les pèlerins l'entouraient, l'acclamaient, priaient avec elle, la mère de l'empereur Constantin qui protégeait l'Église de Christos.

Un soir, deux messagers sont arrivés. Leur course avait été si rapide qu'ils se sont affaissés devant moi en me tendant les lettres d'Hélène.

« Dieu m'a entendue, commençait-elle. Il m'a donné le signe du pardon. Que Constantin retrouve la paix de celui qui s'est confessé et a été absous. »

Les esclaves qui, par centaines, creusaient la terre, continuait-elle, avaient mis au jour des débris de trois croix et les clous avec lesquels on avait crucifié Christos. L'une de ces croix portait l'inscription *INRI (Iesus Nazarenus Rex Iudeorum).*

J'ai couru dans le palais désert. J'ai poussé les portes, bousculé les gardes et les affranchis. Je me suis perdu dans la pénombre des grandes salles vides, enfin je me suis jeté aux pieds de Constantin et j'ai crié :

– Un morceau de la Vraie Croix ! Le signe, le signe !

Il s'est redressé. Il était redevenu l'empereur Constantin, celui que Dieu avait choisi.

J'ai voulu que chaque chrétien devienne le messager de cette nouvelle afin que les habitants de l'Empire sachent que Dieu avait pardonné, qu'Il avait donné à Hélène Augusta, mère de l'empereur, le témoignage le plus sacré de Son attention et de Sa bienveillance.

Les jours suivants, on s'est pressé dans les églises, autour des baptistères. Le pape Sylvestre a rassemblé autour de lui, dans la basilique du Latran, des milliers de croyants qui remerciaient Christos et priaient pour Constantin, leur empereur, leur protecteur.

Celui-ci, pour la première fois depuis la mort de Crispus et de Licinius, a arpenté les rues de Rome, s'arrêtant au pied des remparts, au-delà du palais du Latran, ordonnant que l'on commençât ici la construction d'une basilique dédiée à Hélène dans laquelle seraient recueillis le morceau et les clous de la Vraie Croix. Elle se nommerait basilique d'Hélène et de Jérusalem, car il entendait que la ville cessât de porter ce nom d'*Aelia Capitolina* imposé par un empereur païen, mais qu'elle retrouvât son nom sacré de Jérusalem, et que les Juifs fussent autorisés à s'y rendre une fois l'an afin d'y prier et de s'y lamenter devant ce qui restait des murs de leur Temple.

À Jérusalem même il décida de faire détruire les temples païens qui y avaient été dressés, et qu'au contraire y fussent élevées, comme le désirait Hélène, deux basiliques, l'une voisine du tombeau de Christos, l'autre au jardin des Oliviers. Une troisième le serait à Bethléem pour célébrer la naissance de Christos.

Il voulait que ces basiliques fussent les plus belles de tout l'Empire, et qu'on utilisât pour les édifier les colonnes et le marbre des temples païens.

J'ai vu Constantin marcher à nouveau la tête haute. Il avait recouvré son assurance, mais son corps n'avait plus la rigidité massive d'un bloc de pierre. Il montrait plutôt la vigueur d'un arbre dont les racines s'enfoncent profondément dans le sol, dont la sève irrigue les hautes branches mais qui a affronté la tempête, qui a dû se courber dans la tourmente, qui s'est senti vaciller, sur le point d'être emporté et brisé.

Et qui savait dans sa chair et son âme que l'homme est faiblesse.

Je me suis agenouillé près de lui.

Je l'ai entendu sangloter, penché sur le corps de sa mère qui avait succombé à l'épuisement en Illyrie alors qu'elle regagnait Rome, messagère du pardon de Dieu.

Près du corps d'Hélène Augusta, j'ai prié devant les reliques.

La dernière épreuve avait été franchie.

La religion de Christos était désormais celle de l'empire du genre humain.

– Je suis seul, a murmuré Constantin. Ma mère, ma sainte mère est morte !

J'ai répondu, en lui prenant les mains :

– Tu es face à Dieu.

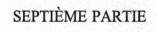

SEPTIÈME PARTIE

31.

J'ai espéré que Constantin le Grand, dans les jours qui ont suivi la mort de sa mère, demanderait à recevoir le baptême.

Je me suis agenouillé près de lui devant le corps d'Hélène Augusta que les embaumeurs avaient déposé dans un cercueil tapissé de soie blanche.

Autour de nous, dans la nef de la basilique que Constantin avait fait construire près du palais impérial de Nicomédie, les fidèles venus de toutes les provinces d'Orient priaient pour celle qu'ils appelaient la sainte mère de l'empereur, qui avait trouvé un morceau de la Vraie Croix et obtenu de Christos qu'il pardonne à Constantin les fautes – les crimes ! – que celui-ci avait pu commettre.

Puis j'ai marché à quelques pas derrière l'empereur et nous avons suivi, avec la foule des croyants, le cercueil d'Hélène Augusta jusqu'à ce navire qui devait transporter sa dépouille à Rome, comme elle l'avait souhaité.

J'ai été surpris que Constantin ne voulût pas l'accompagner et quand la trirème eut disparu, engloutie par le bleu sombre du ciel d'hiver de cette trois cent vingt-huitième année après la naissance de Christos, j'ai cru qu'il allait enfin prononcer les paroles que j'attendais : « Je veux être un fidèle parmi les fidèles » – et je savais, pour l'avoir tant de fois imaginé, que je lui répondrais : « Tu vas être le plus illustre des chrétiens, celui que Dieu a choisi pour guider tout le genre humain vers la juste religion. Tu seras le treizième apôtre ! »

Mais, tête baissée, Constantin est resté silencieux. Puis, se tournant vers moi, le visage fermé, une ride que je ne lui connaissais pas partageant son front par le milieu, il a murmuré :

– Si Dieu me laisse encore quelques années de vie, je Le prierai au milieu des fidèles.

Il s'est éloigné à grands pas comme s'il avait voulu m'empêcher de répondre, de lui crier que Dieu n'était pas son égal, non plus qu'une sorte de prince étranger, de chef barbare ou de roi perse avec qui on négocie une trêve, on signe un traité, on échange des territoires, des biens, des prisonniers.

À Dieu, heureux de s'offrir à Lui, de Lui exprimer ainsi sa gratitude, on donnait sa joie d'être accueilli parmi Ses fidèles !

Mais Constantin le Grand pouvait-il comprendre ou ressentir cela ?

Je l'ai rejoint. Il n'a pas daigné me regarder, et je me suis tu.

J'ai jaugé ce qu'il pouvait nous apporter, à nous chrétiens, même s'il se refusait à entrer dans la vasque sainte, à s'incliner devant le pape ou l'évêque, à marquer ainsi, par l'intermédiaire d'un homme représentant l'Église, qu'il se soumettait à Dieu.

Mais il ne me suffisait pas de voir son visage osseux, ce menton prognathe, ce nez bosselé, ce front haut, cette tête lourde, et de me souvenir qu'il avait été l'obstiné, le têtu, le déterminé « Trachala », pour savoir qu'il ne ferait acte de soumission qu'au moment où il quitterait la vie, restant jusqu'à cet instant – ou croyant rester – maître de son destin, choisissant l'Église chrétienne comme celle de l'Empire, mais respectant les autres dieux, Jupiter, Apollon, *Sol invictus*, écoutant Hésios qui lui répétait que le Dieu unique avait plusieurs visages, qu'il était à la fois Christos, le Crucifié, et l'Apollon radieux.

Je devais, nous devions, nous, chrétiens, l'accepter pour le bien de notre Église.

J'ai donc marché près de Constantin dans les rues de ce village de Drepanum où sa mère était née, où il avait connu Minervina, sa première épouse, qui lui avait donné son premier fils, ce Crispus dont il avait ordonné la mort.

Je l'ai écouté exiger des architectes qu'ils transforment Drepanum en ville sacrée dont chaque bâtiment serait voué à la gloire d'Hélène Augusta. Et ordonner d'ailleurs qu'à compter de ce jour Drepanum se nommerait Helenapolis, et la province, Helenaponius.

Il s'est tourné vers moi et a lancé, comme si cette idée avait tout à coup jailli en lui :

– Ma mère aura sa ville et moi j'aurai la mienne, tout comme Alexandre a fondé la sienne. Je fonderai la *Nova Roma*, la nouvelle Rome !

Je n'ai pas hésité à ajouter :

– Ta Rome chrétienne.

Il m'a fixé, puis a paru se dresser sur la pointe des pieds et a ajouté :

– La ville de Constantin !

Durant plusieurs semaines, il a arpenté les grandes salles du palais de Nicomédie, souvent accompagné d'Hésios et de Constantia, sa demi-sœur, dont je craignais l'influence. Elle avait rassemblé autour d'elle ses trois frères, Dalmatius, Constantius et Hannibalius, ainsi Constantin se trouvait-il entouré par les enfants de Theodora, la seconde épouse de son père.

Constantia l'admirait, le flattait. Lui qui venait de rendre hommage à Hélène Augusta et en portait le deuil accueillait à présent les enfants de Theodora, celle qui avait chassé Hélène et en avait fait une répudiée.

Je comprenais le besoin qu'avait Constantin de retrouver l'affection d'une famille, de ses demi-frères, de cette Constantia en qui il avait confiance et qui était une femme d'autorité au corps viril, dont les traits étaient à peine plus féminins que ceux de son frère Constantin le Grand, auquel elle ressemblait.

Je l'entendais qui répétait que Constantin devait en effet fonder sa propre ville, qui serait pour lui ce qu'Alexandrie avait été pour Alexandre.

Cette *Nova Roma* serait *Constantinopolis*.

Constantia était d'autant plus influente qu'elle organisait les fêtes, les banquets, les nuits de Constantin. L'empereur était un homme vigoureux qui allait seulement entrer dans sa cinquantième année. Il était l'unique, le « Vainqueur perpétuel », l'homme de Dieu, ou celui que les dieux, disait Hésios, avaient choisi pour maître du genre humain.

Comment cet homme-là, d'une puissance inégalée, aurait-il résisté au plaisir ?

J'ai vu les femmes se succéder auprès de lui, jeunes esclaves vite affranchies, matrones rouées, épouses infidèles, telle cette Alexandra dont le mari complaisant, Optatus, était l'ami d'Hésios et avait été le précepteur de Licinius le Jeune, le compagnon de Crispus, lui aussi assassiné sur ordre de Constantin.

Tous ceux-là, Hésios, Optatus, les trois demi-frères, Constantius, Dalmatius et Hannibalius, et la demi-sœur de Constantin, mais aussi ces jeunes femmes que je croisais, quittant encore ensommeillées la chambre de Constantin, voulaient une ville nouvelle pour cet empereur nouveau dont les fils – ceux de Fausta –, Constantin, Constance et Constans avaient été envoyés dans les provinces, l'un en Gaule, à Trèves, l'autre à Sirmium, sur les rives du Danube, et le troisième à Antioche, pour surveiller les Perses.

Un jour, en compagnie de cette cour, nous avons passé le détroit et rejoint cette presqu'île qui s'avançait vers les provinces d'Orient, s'enfonçait dans le Bosphore et que bordaient les mers de Propontide et de la Corne d'Or.

Nous avons débarqué dans le port de Byzance.

Constantin a marché le long du mur romain qu'avait élevé, autour de la petite cité, l'empereur Septime Sévère.

Il s'est arrêté et, dégainant son glaive, l'a pointé sur les sept collines entourant Byzance.

– Sept, a-t-il dit. Comme à Rome.

Puis il a franchi le mur de Septime Sévère et a dit :

– Ici je suis au cœur de mon empire. Je tiens les Goths du Danube et les Perses de l'Euphrate sous mon regard, à égale distance. Rome était la ville de la République et de l'Empire menacés, divisés et impuissants ; ma ville sera celle du nouvel Empire, la *Nova Roma*.

Constantina l'a applaudi, scandant :

– *Nova Roma*, la ville de Constantin !

L'empereur a murmuré :

– J'avancerai jusqu'à ce que le Dieu unique, celui qui rassemble tous les dieux et qui marche devant moi, invisible, mais que je suis, s'arrête. Alors, de la pointe de mon glaive, je tracerai l'emplacement du nouveau mur qui ira de la Corne d'Or à la Propontide, d'une mer à l'autre.

Nous nous sommes arrêtés après avoir parcouru trois mille pas au-delà du mur de Septime Sévère.

Alors Constantin le Grand a commencé à traîner la pointe de son glaive sur le sol.

Sur ce sillon s'est élevé le mur derrière lequel devait être bâtie la ville de Constantin, Constantinopolis.

32.

De cette terre entre les mers, de cette presqu'île, j'ai vu surgir la plus grande, la plus somptueuse ville du monde, Constantinopolis, ville chrétienne, *Nova Roma* de l'Empire chrétien.

J'ai marché au milieu de ces dizaines de milliers de prisonniers barbares – des Goths, des Sarmates, des Alamans – qui construisaient le mur de la Corne d'Or à la Propontide, cependant que d'autres, Syriens, Phrygiens, Grecs et même des Perses, à la pointe de la presqu'île, sur l'une des sept collines, bâtissaient la basilique de la Sainte et Grande Sagesse, Sainte-Sophie, et, autour de la place de l'Augusteum, le palais impérial, le Sénat ainsi qu'une autre église, Sainte-Irène.

Celui qui n'a pas parcouru la Mesée, cette voie encadrée par des portiques, des demeures aussi vastes que des palais, des boutiques présentant toutes les marchandises précieuses d'Orient et d'Occident, ne peut imaginer ce qu'était l'opulence de cette ville-là.

J'avais vécu à Rome, j'avais respiré les puanteurs des égouts et des marécages.

J'avais souffert de ses bruits, craint ses violences.

J'avais souvent détourné la tête pour ne pas voir la débauche et le vice, la pauvreté et la monstruosité s'y exhiber.

Rome avait été la ville des empereurs païens, fous, meurtriers, persécuteurs. Là avaient régné Caligula, Néron et Marc Aurèle, Maximien et Maxence. Sur les collines de cette ville on avait supplicié les apôtres Pierre et Paul, et des centaines de chrétiens y avaient été brûlés, crucifiés, livrés aux bêtes.

Constantinopolis devait être au contraire une ville chrétienne.

Je l'ai espéré, je l'ai cru.

Églises et basiliques s'élevaient dans la plupart des quatorze sections qui partageaient la ville. Les fidèles s'y pressaient.

Ils arrivaient de toutes les provinces de l'Empire, attirés par cette *Nova Roma* qui se construisait à la charnière de l'Orient et de l'Occident et où s'accumulaient marchandises et richesses.

J'avais entendu Constantin exhorter les légats, les gouverneurs des provinces à dresser l'inventaire des œuvres d'art que recelaient les temples et les places de leurs villes. Puis je l'ai écouté ordonner que ces statues, ces colonnes de porphyre, ces marbres, ces fontaines sculptées et même les tapis, les tissus brodés fussent acheminés à Constantinopolis.

En quelques mois, ils ont orné les cinq forums de Constantinopolis, les portiques, la place de l'Augusteum, le Sénat, le palais impérial, les deux portes donnant accès à la ville.

Des tours crénelées s'élevaient de place en place, dominant la terre, la mer de la Corne d'Or, celle de la Propontide et du Bosphore.

La ville était ainsi comme un joyau enfermé dans un écrin – imprenable.

Du palais impérial j'apercevais cette longue muraille dont les teintes sombres tranchaient sur le bleu de la mer, l'or des statues, le blanc du marbre, le rose du porphyre.

Lorsque Constantin a décrété que, dans l'hippodrome qui jouxtait le palais impérial et sur les cinq forums qui s'échelonnaient le long de la voie de la Mesée, il interdirait les jeux sanglants, que dans le premier, qui compterait quelque cent mille places, ne se dérouleraient aucun combat de gladiateurs, mais seulement des courses de chars, j'ai pensé qu'enfin la piété chrétienne allait s'imposer dans cette cité qui ne serait pas seulement vouée à Christos par ses églises et ses basiliques, mais aussi par la façon dont on y vivrait.

Mais, avant même que la ville ne soit achevée et que Constantin n'en eût célébré la naissance, j'ai vu la débauche s'y répandre, les femmes s'y pavaner, marchandant le plaisir à cette plèbe bigarrée où l'on trouvait des Romains qui avaient abandonné leur cité d'origine, des citoyens des provinces d'Orient, d'autres venus de Gaule, ainsi que de nombreux Barbares, anciens prisonniers, affranchis, souvent convertis puisque la religion de Christos était désormais celle de l'Empire et qu'ils aspiraient à devenir citoyens.

Je m'interrogeais : Dieu réussirait-Il un jour à faire régner parmi le genre humain les vertus chrétiennes ?

J'étais à nouveau inquiet.

Hésios s'était allié à Optatus, le complaisant mari d'Alexandra, la concubine de Constantin.

Je découvris que l'on allait dresser au centre du forum une colonne de porphyre au sommet de laquelle serait hissée une statue de Constantin recouverte de feuille d'or.

Hésios lui-même m'apprit que Constantin serait représenté sous les traits d'Apollon, les rayons solaires nimbant sa tête.

Devinant sans doute mon étonnement et ma réprobation, il murmura qu'Apollon était l'un des visages du Dieu unique, et, ajouta-t-il en souriant, on pouvait dire aussi que Christos – « Ton Christos, Denys » – était l'une des représentations de *Sol invictus*.

Je me suis emporté.

Cette ville allait donc aussi être païenne ? On y achevait la construction d'immenses thermes, dits de Zeuxippe, plus vastes que ceux de Rome ou d'Aquilée. Des milliers d'hommes et de femmes pourraient, dans la promiscuité, s'y baigner, s'y faire masser et – il en était ainsi dans tous les thermes de l'Empire – s'y livrer à la débauche.

Et je voyais Constantin s'attarder dans les banquets, s'y complaire en compagnie de jeunes esclaves.

S'arracherait-il jamais aux croyances et aux mœurs païennes ?

J'ai appris que la statue d'or représentant Constantin en Apollon serrerait dans sa dextre un spectre, et dans sa gauche un globe surmonté d'une victoire ailée.

Où était le signe de Christos qui avait annoncé et permis la victoire ?

Hésios me révéla qu'une inscription, au bas de la statue, mentionnerait : « Constantin resplendit comme *Sol invictus.* »

Ainsi l'empereur qui avait aidé l'Empire chrétien à naître était loué à l'égal d'une divinité païenne !

J'ai demandé à être reçu par Constantin en audience particulière, et, lorsque je me suis avancé vers lui, j'ai senti son étonnement. Je pouvais lui parler à tout instant, le côtoyant chaque jour : quel était donc le sens de cette entrevue solennelle ?

– N'oublie pas Dieu, Constantin le Grand, ai-je commencé. N'oublie pas ce que tu Lui dois. N'oublie pas ta sainte mère et la Vraie Croix. Au lendemain de sa mort et de son entrée dans la vie éternelle, je t'ai dit : « Tu es seul face à Dieu. » Tu as construit cette ville pour qu'avec sa naissance soit fondé l'Empire chrétien.

Il a plissé les paupières, serré les mâchoires et m'a répondu d'une voix sourde :

– Que veux-tu de plus ? J'ai fait construire des basiliques et des églises. J'ai arraché les colonnes, le marbre et les statues des temples païens dans tout l'Empire. Ici, dans la *Nova Roma*, on ne célèbre aucun culte païen.

– Mais toi, Constantin le Grand, tu es représenté en Apollon qui domine le forum et la ville,
et l'inscription sous ta statue te compare à *Sol
invictus*.

Il a eu un geste d'indifférence, puis a penché
la tête et marmonné qu'il ne voulait pas renier
Sol invictus ni Apollon qui, dans un songe, lui
avait annoncé trente ans de règne impérial.

– N'oublie pas Dieu ! ai-je insisté.

Il est venu vers moi et a ajouté :

– Je ferai inscrire aussi : « À toi, Christos, à
toi, Dieu, je dédie cette ville. » Es-tu satisfait ?

33.

Je m'interrogeais : une inscription suffisait-
elle pour que cette ville fût vraiment dédiée à
Christos et pour que Dieu la reconnût pour
Sienne ?

J'en doutais.

À chaque pas, le long de la Mesée, cette voie
qui, pareille à un fleuve, partageait la ville en
deux, se dressaient des estrades autour desquelles
la foule s'agglutinait, écoutait, fascinée, les pré-
dictions des oracles.

Je dévisageais ces femmes et ces hommes qui
se frôlaient, s'enlaçaient. Ils venaient de toutes
les provinces de l'Empire pour assister aux fêtes
qui allaient célébrer, en ces jours de printemps, la
naissance officielle de la cité dont on discutait
encore le nom.

Certains l'appelaient *Nova Roma*, d'autres
Secunda Roma.

Mais j'avais vu les pièces d'or frappées à l'effigie de Constantin, sa tête auréolée des rayons

solaires d'Apollon ; ces monnaies qui s'entassaient dans l'une des pièces du palais impérial portaient le nom de Constantinopolis, et c'était sa véritable appellation. Elle était bien la ville de Constantin.

Chrétienne ? païenne ? grecque ? romaine ?

Il voulait qu'elle fût tout cela à la fois.

Des prêtres de Christos prêchaient au milieu de cette plèbe qui voulait connaître la date de l'inauguration.

Mais Constantin n'avait pas encore choisi. Il consultait les oracles, les officiants des cultes de toutes les divinités païennes, les astrologues, les devins, les charlatans qui, sur les estrades, le long de la Mesée, multipliaient les tours de magie, sacrifiaient sous les yeux de la foule, éventrant moutons et poulets, plongeant les mains dans les viscères, puis les élevant, sanglantes, vers le soleil.

La foule allait d'une estrade à l'autre, se rassemblait sur le forum, écoutant les prêtres qui invoquaient Christos et ceux qui se réclamaient de Jupiter, de Cybèle ou d'Apollon.

Dans les grandes salles du palais impérial, je croisais Hésios, Optatus et un nouveau venu,

Sopatros. Ce Grec arrivait d'Athènes ou de Rhodes, se réclamait de Platon, et on le présentait comme le plus grand des philosophes de l'Empire.

Constantin les recevait, les écoutait.

J'appris d'Hésios que l'empereur, après avoir consulté tous les prêtres et tous les astrologues, avait choisi avec Sopatros la date du 11 mai pour le début des cérémonies et des fêtes qui se prolongeraient quarante jours durant.

La nouvelle s'est aussitôt répandue et la ville est devenue semblable à une fourmilière, chacun paraissant agir dans le désordre, courant en tous sens.

On terminait en hâte les derniers bâtiments le long de la Mesée. On montait des tribunes sur les forums. Et la foule se faisait plus dense, plus mêlée encore. Je reconnaissais parmi elle des Illyriens, des Gaulois, des Phrygiens, des Syriens. Des légions venues d'Antioche, de Nicomédie, de Sirmium, de Trèves défilaient avant de dresser leurs camps au-delà des murs d'enceinte.

J'entendais chaque jour leurs trompettes et leurs tambours.

La voix de Dieu serait-elle assez forte pour s'imposer dans ce tumulte ?

À l'aube du 11 mai de cette trois cent trentième année après la naissance de Christos, le ciel tendait au-dessus de la ville son voile d'un bleu immaculé.

J'ai rejoint dans la cour du palais impérial les douze tribuns, les sénateurs, les légats qui attendaient l'arrivée de Constantin le Grand.

Il est enfin apparu et j'ai admiré cet homme au corps puissant, enveloppé dans sa tunique de soie brodée, portant le manteau de pourpre, la main serrée sur le pommeau de son glaive. Sa tête casquée semblait encore plus massive qu'à l'accoutumée.

Autour de lui, ses demi-frères et demi-sœurs constituaient le premier cercle, puis se tenaient, plus éloignés, Hésios, Optatus, Sopatros et leurs proches, des astrologues, des devins, et moi qui les avais rejoints, qui n'étais au fond que l'un d'eux – et j'en souffrais pour la gloire de Christos.

Le cortège s'est ébranlé et, aussitôt, les cris et les acclamations de la foule ont déferlé. Puis ce furent les roulements de tambours, les éclats stridents des trompettes, le martèlement des hampes de lances contre les boucliers.

Il y eut des arrêts à chacun des cinq forums. Et Constantin scella avec les gestes lents d'un prêtre, au pied de la colonne de porphyre portant sa statue en Apollon, des pièces d'or à son effigie, une hache dont on assurait qu'elle avait servi à Noé pour construire l'arche, un morceau de ce rocher dont Moïse avait fait jaillir de l'eau, et du bois de la Vraie Croix.

Était-ce cela, dédier la ville à Christos et à Dieu, ou n'était-ce pas plutôt s'approprier toutes les divinités, utiliser leur influence, et, après avoir reconnu Christos comme Dieu unique, et le christianisme comme religion de l'Empire, laisser grouiller les mille dieux païens ?

Sur la place de l'Augusteum, Constantin s'est immobilisé devant la statue de sa mère qu'il avait fait placer devant l'entrée du palais impérial.

Il s'est incliné, puis, tourné vers les légions, les magistrats, la foule qui débordait de la place, il a levé son glaive et lancé :

– Que s'ouvre l'âge d'or où les hommes vivront heureux et prospères sous l'autorité de la suprême puissance et de celle de son serviteur : moi, Constantin le Grand !

La foule s'est agenouillée comme s'il avait été Dieu en personne.

Mais quand il a annoncé que sa ville, *Nova Roma*, *Secunda Roma*, était la fille bien-aimée de l'ancienne Rome, et qu'elle bénéficierait désormais des distributions de blé et des jeux dont la plèbe romaine avait été gavée, que les navires chargés de grain avaient déjà quitté l'Égypte et qu'ils seraient à quai dans la Corne d'Or les jours suivants, la foule s'est dressée, levant les bras, tentant de forcer la ligne de soldats qui la maintenait à l'écart.

Les cris sont devenus plus aigus encore quand, répétant que cette ville, sa ville, était la « perle de l'univers, le lieu où l'Orient rencontre l'Occident, là où se trouve l'origine de la puissance suprême sur terre comme sur mer », il a déclaré que les thermes de Zeuxippe venaient d'être ouverts, que chacun pourrait s'y rendre, et que commenceraient peu après, sur l'hippodrome, les courses de chars.

La foule s'est ruée vers les thermes dans lesquels on avait placé les plus beaux des bas-reliefs et les plus expressives des statues.

Constantin s'est alors avancé vers les légions qui étaient restées alignées sur la place.

Il a de nouveau brandi son glaive.

– Vous m'avez suivi des bords du Rhin aux rives du Danube, leur a-t-il dit. Nous avons vaincu les usurpateurs sur le Tibre. Vous m'avez été fidèles. Vous allez recevoir la part d'or et d'argent qui est votre récompense. J'ai donné des ordres pour qu'elle vous soit distribuée aujourd'hui.

Les lances, les glaives, les emblèmes ont jailli au-dessus des casques des soldats, puis a résonné le battement sourd des hampes contre les boucliers, bientôt couvert par les acclamations de toutes les légions.

J'ai suivi Constantin dans la loge impériale située dans la partie centrale de l'hippodrome.

Il avait quitté son casque, ceint le diadème de perles précieuses dont on prétendait qu'elles avaient appartenu à Alexandre.

Je l'ai observé alors qu'il écoutait une nouvelle fois les cris d'adulation de la foule. La plèbe, debout dans les gradins, saluait l'entrée de ce quadrige de chevaux blancs dont le char et le conducteur étaient parés de plaques d'or si nombreuses qu'ils éblouissaient. C'était Apollon, *Sol invictus*, qui défilait et venait s'immobiliser devant la loge impériale.

Le Soleil lui-même rendait hommage à Constantin le Grand.

J'ai su qu'à cet instant l'empereur unique se demandait s'il n'était pas l'égal de tous les dieux, et peut-être même le plus grand d'entre eux !

J'ai prié pour que Constantin le Grand repousse cette pensée qui n'était que la plus perverse des tentations du démon.

34.

J'ai reproché aux fidèles de Christos de se prosterner devant Constantin le Grand comme s'il était Dieu et de servir ainsi en aveugles les desseins du démon !

J'ai interpellé Cyrille, le plus proche de mes frères.

Je connaissais son courage, son dévouement à notre Église. Il avait été mon messager au temps des empereurs persécuteurs. Il avait affronté les bourreaux de Maximin Daia, de Galère et de Maxence. La foi éclairait ses yeux comme une flamme vive.

Mais je l'avais vu s'agenouiller devant l'empereur. Il avait baisé le bas du manteau de pourpre, et lorsque Constantin, d'un geste, l'avait invité à se redresser, j'avais vu son visage rougir de plaisir et de reconnaissance.

Il avait regardé Constantin comme s'il avait eu devant lui Dieu Lui-même, et non un homme qui tenait le spectre de la puissance, qui avait commis des fautes et des crimes, dont je n'ignorais aucune des faiblesses et des duplicités humaines.

J'ai observé Constantin depuis la fin de ces longues festivités qui avaient fait de la *Nova Roma* la capitale de l'Empire. Un grand nombre de sénateurs avaient quitté les bords du Tibre pour les rives du Bosphore, de la Propontide et de la Corne d'Or. Ils siégeaient à la curie construite devant la place de l'Augusteum, à proximité du palais impérial, des thermes et de l'hippodrome.

Pour les attirer, Constantin leur avait accordé des exemptions fiscales et les avait couverts de privilèges et de dons. Il avait nommé au Sénat des hommes venus des provinces d'Orient qui ignoraient tout des traditions de la République romaine et qui comptaient parmi les plus serviles courtisans. Qui pouvait alors dessiller les yeux de Constantin, lui rappeler qu'il n'était qu'un homme dont le destin terrestre, un jour, serait tranché ? Et qu'il lui faudrait alors comparaître devant Dieu ?

C'était à moi, c'était aux chrétiens, à l'Église de l'arracher au piège du démon.

Mais j'ai entendu Cyrille, homme de notre foi, dire à Constantin :

– Tu illumines l'Empire comme le soleil le

monde ! Tes fils, tes frères, tes légats, tes tribuns et tes centurions, tes légions sont les rayons qui naissent de ta puissance ! Tu éclipses tous les astres, tu répands ta chaleur d'une extrémité à l'autre de l'Empire ! Tu donnes ta lumière à tout le genre humain !

J'en ai été indigné. On eût dit la harangue d'un Hésios ou d'un Optatus, celle d'un prêtre d'Apollon, non d'un disciple de Christos.

Cyrille a paru surpris de mes reproches.

Ne fallait-il pas louer Constantin, l'homme que Dieu avait choisi parmi tous les hommes pour devenir l'empereur unique ? lui qui avait vaincu les persécuteurs, construit les basiliques, dont la mère avait trouvé la Vraie Croix, et qui avait fondé cette *Nova Roma* où jamais un empereur n'avait fait couler le sang chrétien ?

Qu'avais-je à redire à cela ?

Cyrille s'est à son tour emporté. Il défendait Constantin, me rappelait qu'aucun de ces jeux sanglants, ces vrais sacrifices humains qui accompagnaient naguère toutes les fêtes romaines, n'avait assombri les célébrations de la naissance de Constantinopolis.

Et Constantin avait depuis lors accordé de nouveaux pouvoirs aux évêques, désormais les égaux des magistrats les plus puissants de l'Empire.

C'était comme si, au fur et à mesure que les représentants de l'empereur perdaient de leur autorité, les évêques en gagnaient.

– Notre Église, a répété Cyrille, est le plus brillant, le plus puissant, le plus chaud des rayons du soleil.

J'ai protesté :

– Constantin n'est pas une divinité solaire ! Il n'est pas Dieu !

– Il est l'égal des apôtres, m'a répondu Cyrille, tout à coup apaisé.

Puis il m'a rapporté que Constantin, devant quelques évêques d'Orient s'apprêtant à regagner leurs provinces, avait déclaré explicitement : « La puissance de Dieu est mon alliée. » Pouvais-je contester ces termes ?

J'ai observé Constantin. Les longues festivités de la fondation de la *Nova Roma* l'avaient changé. Ses gestes étaient encore plus lents, sa démarche plus majestueuse, son regard plus fixe. Cependant, si son visage exprimait l'orgueil de l'homme dont la tâche est accomplie, j'y lisais aussi l'ennui, la lassitude.

Il venait pourtant d'avoir à peine cinquante ans. Mais les guerres successives avaient creusé ses joues, peut-être écrasé son corps de fatigue.

Sans doute aussi aspirait-il à jouir de son triomphe.

Les banquets désormais se succédaient jour après jour et se prolongeaient jusqu'à l'aube. De jeunes esclaves y dansaient et venaient frôler le corps de l'empereur. Il était la statue sacrée placée au centre du palais sacré. Celui qui aurait simplement refusé de s'agenouiller devant l'empereur aurait commis un sacrilège et aurait aussitôt eu à subir les supplices ou la mort.

Autour de Constantin se tenait sa garde personnelle composée de Goths, de Germains et d'Alamans dévoués, prêts à tuer sur un battement de cils de l'empereur.

Mais qui aurait eu la témérité de le défier ? Les courtisans lui répétaient à satiété qu'il disposait des pouvoirs d'un dieu, que lui-même et sa famille étaient divins.

Mais je devinais derrière ces louanges d'implacables rivalités.

Les demi-frères et les demi-sœurs de Constantin – Dalmatius, Constantius, Hannibalius, Eutropia, Anastatia – formaient un clan qui défendait un préfet du prétoire, Ablabius, maître des intrigues et des calomnies, homme gras au visage veule. Il avait écarté Constantia, l'aînée des demi-sœurs, qui avait choisi de rallier le clan des fils de l'empereur, Constance, Constans, Constantin le Jeune, et de ses filles, Hélène et Constantina.

Tous s'agenouillaient devant Constantin le Grand mais échangeaient entre eux des regards pleins de défiance et de haine.

Ablabius jalousait Sopatros parce que le philosophe grec avait su conquérir la confiance de l'empereur qu'il continuait d'étonner par ses oracles et ses tours de magie.

J'entendais les chuchotements d'Ablabius. Je devinais ses complots alors que cet intrigant, cet ambitieux, tout comme les demi-frères et demi-sœurs de Constantin et comme les enfants de l'empereur se proclamaient les uns et les autres disciples de Christos !

Mais qu'étaient donc pour eux les vertus chrétiennes ?

Souvent, quand je les regardais, les entendais, il me semblait qu'ils n'étaient tous que des païens grimés ayant revêtu les habits de la foi, tels des acteurs de théâtre se déguisant lorsqu'ils entrent en scène et qu'il leur faut séduire. Comme l'Église était désormais une puissante armée de croyants, ils interprétaient leur rôle pour obtenir son appui.

Mais, sortis de scène, ils redevenaient des fauves se déchirant entre eux.

Je voyais Ablabius aller de l'un à l'autre, répandant l'idée que Sopatros usait de maléfices pour retenir les vents, empêchant ainsi les navires chargés de blé de gagner Constantinopolis où la plèbe avait faim et commençait à gronder.

Je voyais son clan, celui des demi-frères et des demi-sœurs, entourer Constantin, cependant que Sopatros quittait la salle, seul, parce qu'on avait deviné que l'empereur s'apprêtait à l'abandonner, la pression exercée sur lui étant trop forte et ses fils – l'autre clan – dispersés au loin dans les provinces de l'Empire, à Trèves, Antioche, Sirmium.

Constantin cédait à Ablabius malgré les supplications de Constantia, l'aînée de ses demi-sœurs.

Sur un signe de l'empereur, j'ai vu les Germains de sa garde personnelle s'éloigner, et, peu après, j'ai appris que Sopatros avait été arrêté et décapité sur-le-champ.

Constantin faisait alors distribuer à la plèbe les ultimes réserves de grain, cependant que devant le palais impérial, sur la place de l'Augusteum, la foule criait : « Vive Constantin, l'empereur du genre humain, l'empereur divin ! Vive Constantin l'immortel ! Vive sa race divine ! »

J'ai osé m'approcher de lui. Les yeux fixes, le visage figé, il écoutait monter vers lui ces acclamations et ces cris.

Je ne me suis pas agenouillé, mais je me suis incliné devant lui puisqu'il représentait la puissance et que je me souvenais des écrits de Paul de Tarse : « Que chacun soit soumis aux puissances régnantes, avait écrit l'apôtre, car il n'y a pas de puissance qui ne vienne de Dieu. Les puissances qui existent sont ordonnées par Dieu ; en quelque sorte celui qui fait de l'opposition aux puissances résiste à l'ordre établi par Dieu. »

Constantin a baissé les yeux sur moi, qui me tenais droit devant lui.

J'ai vu son visage changer comme lorsque le ciel tout à coup se voile.

J'ai deviné son hésitation. Il pouvait me faire arrêter, m'accuser de sacrilège ; il avait bien été capable de faire étrangler ou égorger ses rivaux, son propre fils. Je n'étais qu'un chrétien témoin de ses premiers pas et de ses crimes.

Une moue de dédain a déformé sa bouche.

– Tu entends ? m'a-t-il dit. Ils m'acclament, ils louent mes actions parce qu'ils savent que tout ce que je suis, tout ce que je fais trouve son origine dans les signes, les recommandations, l'aide du Dieu unique.

Puis il a ajouté :

— Dieu seul est mon juge.

Qu'avais-je à répondre ? Il avait devancé mon propos, employé les mots qui devaient me réduire au silence.

J'ai cependant répliqué :

— Aucun homme, fût-il empereur, n'est Dieu.

Il a fermé les yeux.

— Qui m'a donné la puissance ? a-t-il murmuré. Me crois-tu l'égal des hommes, alors que Dieu m'a choisi pour exercer l'autorité sur le genre humain ?

Je me suis borné à répondre :

— Dieu seul est Dieu. Et l'Église de Christos est au-dessus de l'autorité des hommes autant que le Ciel est au-dessus de la Terre.

35.

J'ai subi la colère de Constantin le Grand.

Il a serré les poings en se penchant vers moi, la tête enfoncée dans les épaules, les mâchoires contractées, le menton en avant.

J'ai eu l'impression qu'il allait se jeter sur moi et que son corps massif m'écraserait. J'ai pensé à ces taureaux noirs qui frappent le sol de leurs sabots, dont on ne voit que les cornes acérées, que rien, pas même la pointe d'une lame, ne peut arrêter.

Ils veulent tuer.

Ainsi étaient morts Maximien, Crispus, Licinius le Jeune et tant d'autres, étranglés, égorgés, décapités, poignardés.

Tout comme Sopatros le Grec, le philosophe un temps écouté, qui venait d'être exécuté sur ordre de Constantin.

J'ai baissé la tête.

J'allais succomber. Les gardes, ces Barbares païens, allaient me saisir, obéissant à cet empereur que j'avais aidé, en priant Dieu, à monter sur le trône.

Mais Dieu voulait sans doute me rappeler, à moi aussi, que les desseins divins sont des mystères, et que même le serviteur de Dieu et la communauté de Ses fidèles ne sont que de pauvres réalités terrestres soumises certes à Sa volonté, mais aussi livrées à la libre fureur des hommes.

D'une voix sourde, comme si les mots avaient eu de la peine à s'échapper de sa gorge tant ils étaient rugueux, Constantin m'a interpellé :

– Qui t'a permis ? Qui es-tu pour t'adresser ainsi à celui qui porte le glaive et le sceptre de Dieu ? C'est moi qui dois te demander si tu as oublié les signes que j'ai reçus.

Il s'est levé et j'ai reculé d'un pas.

Il a posé ses deux mains sur mes épaules et a appuyé de toutes ses forces ses pouces en serrant ma gorge.

J'ai chancelé, suffoqué. Et, tout à coup, sans que je le décide, comme si l'on me coupait les jambes, je suis tombé à genoux, le menton sur la poitrine, ne voyant plus que le rouge du manteau impérial, recouvrant mon souffle et entendant Constantin lâcher en s'éloignant :

– Tout homme est soumis au pouvoir de celui que Dieu a choisi. Tout homme est à genoux devant son empereur !

J'ai entendu les pas de Constantin, ceux de ses gardes et des courtisans s'éloigner, et je suis resté seul agenouillé dans la grande salle d'audience du palais impérial de Constantinopolis.

Puis Cyrille m'a tendu la main et j'ai marché près de lui en m'appuyant à son bras.

– Personne, pas même l'empereur, ne peut humilier Christos en frappant les chrétiens, a-t-il murmuré. Aucune force ne peut détruire son Église. Nous sommes les croyants du Ressuscité, de Celui que la mort n'a pu retenir, qui a surgi du tombeau. Ici comme à Rome sont les morceaux de la Vraie Croix. Voilà ce qui importe.

De la bouche de Cyrille sortaient les mots que j'aurais pu prononcer.

Durant quelques semaines, j'ai vécu parmi les frères chrétiens qui vivaient dans l'une des maisons de l'ancienne Byzance, non loin du port.

Ils se rendaient sur les quais, rapportaient les rumeurs que les marins venus d'Ostie ou de Césarée, d'Aquilée ou d'Alexandrie, de Massalia ou de Nicomédie colportaient.

Les uns disaient que la terre avait tremblé en

Orient, que l'île de Chypre avait été dévastée, que les récoltes de Syrie et d'Égypte avaient été détruites par des averses de grêle qui avaient duré plusieurs jours, et que ce qui en restait avait été dévoré par des nuages de sauterelles.

J'appris par Cyrille que le grain allait de nouveau manquer. L'inquiétude de la plèbe était sensible. Les acclamations qui saluaient l'entrée de Constantin dans la loge impériale de l'hippodrome étaient moins vives, parfois recouvertes par des cris hostiles.

Mais l'empereur ne paraissait pas se soucier de ces signes.

Il s'entourait de jeunes femmes, vivait dans l'indolence et la luxure. Ces femmes exigeaient des caresses, mais, alors qu'elles s'attendaient à être prises, il s'écartait et se détournait d'elles comme si le désir le quittait avant même d'avoir été assouvi.

N'était-il déjà qu'un vieil homme, découvrant que sans la vertu de la foi la vie terrestre n'est que répétition, précarité, déception, et qu'il faut sans fin recommencer ce que l'on a cru terminé et que le temps efface ? Un moment vient où l'on est las de vouloir, de désirer.

Était-ce ce que vivait Constantin ?

Il avait fait la guerre sur le Rhin, le Danube et l'Euphrate, en Bretagne et en Pannonie. Il avait livré bataille aux Perses, aux Goths, aux Alamans, aux Sarmates, aux Vandales. Il les avait vaincus. Sur son ordre, des dizaines de milliers de Barbares germaniques étaient devenus colons ou soldats auxiliaires. Un grand nombre d'entre eux avaient reçu le baptême et étaient entrés dans la religion de Christos.

Or voilà que d'autres vagues barbares déferlaient sur le Danube, roulant de l'extrémité de l'Orient, poussant devant elles d'autres tribus qui traversaient le fleuve, demandaient la protection de l'Empire.

Et il fallait les accepter, en faire les gardiens des frontières, puis s'enfoncer dans les territoires barbares afin de vaincre une nouvelle fois ces Goths innombrables, défaits mais toujours renaissants.

J'étais parmi la plèbe qui regardait passer l'empereur et son fils aîné Constantin II, né de Fausta, défilant à la tête des légions, quittant Constantinopolis pour se rendre en Thrace, en Illyrie et en Pannonie, dans le pays des Goths.

Puis, quelques mois plus tard, j'ai vu Constantin le Grand, victorieux, rentrer dans sa ville et ordonner que l'on dressât, non loin de la place de l'Augusteum, une colonne de porphyre afin de célébrer son triomphe sur les Goths. Pour fêter ce jour, l'empereur a présidé à des courses données dans l'hippodrome ainsi qu'à des distributions de grain. La plèbe l'a derechef acclamé.

J'ai été convoqué au palais comme si le temps de la guerre avait fait oublier à Constantin ce qui n'était déjà plus qu'une lointaine colère.

Je me suis agenouillé devant lui. J'ai embrassé le pan de son manteau de pourpre. Il m'a aidé à me relever et m'a invité à prendre place auprès de lui.

Il avait vaincu, me dit-il, parce que ses soldats avaient le signe de Christos tracé sur leurs boucliers et que les porte-enseignes avaient levé, au moment de la bataille, le *labarum*, la bannière du Ressuscité.

– Les Goths, les Vandales, les Sarmates sont des bêtes blessées, a-t-il ajouté. Ils resteront pour longtemps tapis dans leurs grottes. Et les Perses ont sollicité mon amitié. Il n'est pas sur terre une nation qui ne me craigne, et, avec moi, avec la paix qu'imposent les légions, c'est la foi en Christos qui se répand. Je veux que partout, ici d'abord, dans ma *Nova Roma*, la loi de l'Église soit appliquée.

Comment ne me serais-je pas incliné, comment n'aurais-je pas loué l'empereur qui interdisait aux parents de tuer, de vendre ou d'abandonner leurs enfants ? Celui qui condamnait le rapt des filles exigeait aussi la pudeur, la virginité pour les jeunes épousées, et la punition pour le tuteur qui aurait défloré la jeune fille qu'il était censé protéger. En outre, Constantin ordonnait la construction de nouvelles églises, et, pour les embellir et les enrichir, acceptait qu'on pillât ce qui restait d'œuvres d'art, de statues de marbre dans les temples païens.

— Je veux que l'Église de Christos soit celle de tout l'Empire ! a-t-il répété.

Sur le conseil de l'intrigant et pervers Ablabius, les Juifs étaient surveillés, condamnés s'ils possédaient un esclave chrétien, pourchassés et punis de mort s'ils s'en prenaient à celui d'entre eux qui s'était converti à la religion de Christos.

— Es-tu satisfait ? Crois-tu toujours que j'aie oublié Dieu ?

Pour la première fois j'ai lu dans ses yeux de l'inquiétude, comme s'il avait craint de se trouver bientôt contraint, devant Dieu, de rendre des comptes.

Peu après, j'ai perçu du désespoir et de l'affolement dans le regard de Constantin le Grand.

D'un geste, il renvoyait Hésios comme si l'heure n'était plus à ménager Apollon, *Sol invictus* et Jupiter, mais à se soumettre au Dieu unique, à Christos.

Car Constantia, la demi-sœur, l'aînée des filles de Theodora, l'épouse de Licinius, mère de Licinius le Jeune, celle qui avait choisi de défendre les fils de Constantin contre ses propres frères, qui s'était donc opposée à Ablabius, venait de mourir.

J'ai vu son corps enveloppé dans sa tunique de soie, le front ceint d'un diadème, puisqu'elle était fille, épouse et sœur d'empereur.

Elle avait été embaumée et son visage était comme apaisé.

La ressemblance n'en était que plus forte avec Constantin.

J'ai vu l'empereur se pencher sur le cadavre de Constantia comme on se contemple dans un miroir.

Quand il s'est redressé, j'ai su qu'il avait vu sa mort en face.

36.

Quelques mois plus tard, lorsque j'ai revu Constantin le Grand, j'ai compris que la mort était devenue son inséparable compagne.

Dès le lendemain des funérailles grandioses de Constantia, il m'avait ordonné de quitter la *Nova Roma* pour gagner Alexandrie.

J'avais été si surpris de l'ordre qu'il me donnait que je n'avais pas prêté attention à ses propos. Je ne les ai médités que plus tard.

Il m'avait dit d'une voix lasse :

– Je ne peux plus accepter que l'Église de Christos se déchire. Les temps pour moi sont ceux de l'unité. Et je l'imposerai !

J'avais cru qu'il s'exprimait seulement en empereur unique, soucieux de ne laisser aucun ferment de division gangrener les provinces de son empire. Or les communautés chrétiennes, surtout en Orient, étaient désormais la clé de voûte de cette construction impériale.

Mais partout, à Alexandrie, à Tyr, à Césarée de Palestine, à Antioche, et jusque dans la Sainte Jérusalem, les chrétiens se querellaient.

Les uns continuaient, malgré les conclusions du concile de Nicée, à suivre le prêtre Arius qui dissociait Christos de Dieu et refusait de reconnaître que le Fils était le Père et le Saint-Esprit.

Les chrétiens d'Alexandrie en venaient aux mains. Le nouvel évêque, Athanase, pourchassait les disciples d'Arius, leur interdisait l'accès aux églises, et ses fidèles, gourdin à la main, les traquaient dans toute l'Égypte, saccageaient même les lieux de culte où ils étaient admis ou dans lesquels officiaient des prêtres dissidents.

Constantin m'avait chargé de leur transmettre l'ordre impérial d'avoir à se réunir et à mettre fin à leurs oppositions.

Au moment où j'embarquais, il m'avait fait remettre un message destiné aux chrétiens de ces villes d'Orient.

« Si l'un d'entre vous qui se prétend disciple de Christos refuse d'obéir à mes ordres, qu'il sache que, quel que soit son rang, il sera déposé, exilé, incarcéré afin de lui apprendre qu'il ne peut résister aux décrets de l'empereur, qui ne sont pris que pour le bénéfice de la vérité, de l'unité de l'Église et de l'Empire.

« Que chacun de vous s'emploie donc à libérer l'Église de tout blasphème et à combler mes espoirs en restaurant la paix et l'unité. »

J'avais vu Athanase et Arius. Je leur avais transmis les ordres de Constantin le Grand. L'évêque d'Alexandrie et le prêtre, chacun à leur façon, se sont étonnés que l'empereur se mêle de dicter sa loi à l'Église : était-il le treizième apôtre ?

J'ai, je le reconnais, éludé leurs questions, me contentant de leur répéter que Constantin voulait l'unité de l'Église, l'éradication de cette peste qu'étaient les divisions entre chrétiens.

Voulions-nous notre ruine alors que la religion de Christos était désormais celle de tout l'Empire ?

Je les ai quittés, craignant qu'ils ne continuent de s'opposer, l'un, Athanase, exigeant l'entière soumission d'Arius et le rejet de toute conciliation, l'autre, Arius, paraissant accepter les conclusions du concile de Nicée mais maintenant sa certitude qu'il y avait un « Temps d'avant le Temps » où Dieu seul existait, un Dieu sans origine dont serait un jour issu Christos, le Fils, immergé, lui, dans le Temps des hommes.

Tout au long du voyage de retour, alors que la tempête m'a fait craindre le naufrage, brisant les mâts du navire, nous contraignant à nous abriter à plusieurs reprises dans des baies inconnues, j'ai demandé à Dieu de me pardonner.

Je m'accusais d'avoir été injustement sévère avec Constantin qui œuvrait pour le bien de l'Église et l'unité de la foi.

Je me sentais en accord avec lui. Il y avait un Dieu unique. Il fallait renforcer, préserver l'unité de l'Église et de l'Empire. Les querelles entre chrétiens devaient fondre dans la prière pour ne plus former que la lame brillante et tranchante de la foi.

L'évêque d'Alexandrie, Athanase, et le prêtre Arius devaient se soumettre aux décisions de Constantin. Elles servaient l'Église. Elles chassaient les miasmes de la division.

Prions Christos, et nous prions Dieu ! Louons Dieu, et nous louons Christos : voilà ce que j'avais dit aux uns et aux autres en les avertissant que, s'ils s'obstinaient, Constantin les châtierait.

Je me suis présenté à l'empereur dès le lendemain de mon arrivée au port de Constantinopolis.

J'ai découvert un homme amaigri, comme si son corps avait commencé à se débarrasser de ce qui était superflu pour le voyage qu'il allait devoir entreprendre.

Je lui ai rendu compte de ce que j'avais vu et entendu.

La tête penchée sur son épaule gauche, Constantin a semblé écouter un être invisible qui, au fur et à mesure que je lui parlais, lui aurait chuchoté ses commentaires.

J'ai souligné qu'il me paraissait nécessaire qu'il convoquât ici, dans son palais impérial de la *Nova Roma*, l'évêque Athanase et le prêtre Arius, puis qu'il ordonnât la tenue d'un nouveau concile, ou bien, s'il ne fallait réunir que des évêques, un simple synode. Il imposerait l'union. L'on pourrait rassembler ces évêques à Césarée de Palestine ou bien à Tyr, puisque c'était dans les provinces d'Orient que la querelle entre les disciples d'Arius et leurs adversaires était la plus vive.

Constantin est d'abord resté silencieux, puis, inclinant davantage encore la tête sur son épaule gauche, il a murmuré :

— Si le temps m'en est laissé.

C'est à cet instant que j'ai pensé que la mort ne le quittait plus et que c'est à elle qu'il prêtait l'oreille.

Elle se tenait à ses côtés, le matin suivant, dans ce grand espace couvert de hautes herbes courant le long de la Mesée, non loin du mur d'enceinte.

Constantin avait tenu à ce que je l'accompagne en ce lieu où l'attendaient déjà Hésios, Optatus, Ablabius, des tribuns germains de sa garde personnelle, des astrologues ainsi que Cyrille.

Nous avons marché, suivant Constantin, découvrant avec lui, derrière une colline, un petit temple païen élevé pour célébrer les douze dieux gravitant autour de *Sol invictus*.

L'empereur paraissait le connaître. Il s'est arrêté, puis a pénétré seul dans le temple, y demeurant longtemps, et, lorsqu'il a réapparu, il s'est immobilisé sur le seuil, regardant tour à tour chacun de ceux qui l'attendaient, s'attardant à fixer Hésios, puis son regard s'est arrêté sur moi.

– Je serai le treizième dieu, a-t-il dit.

Puis, faisant un pas vers moi, il s'est repris :

– Le treizième apôtre.

J'ai été une fois de plus déçu par sa duplicité, l'habileté avec laquelle il utilisait concomitamment la foi des chrétiens et les superstitions des païens. Mais que faire ? Il était utile à l'Église. J'avais même accepté qu'il la dirigeât, qu'il se fît obéir des évêques, sans jamais consulter le pape Sylvestre, confiné et oublié dans la vieille Rome.

C'était ainsi : jusqu'à ce que la mort le prît par la main, il garderait vivant en lui le païen qu'il avait été et qu'il était encore.

Nous sommes rentrés au palais impérial en empruntant la Mesée, cette voie remplie d'une plèbe bruyante et colorée.

La foule a acclamé Constantin, qui a paru indifférent, ne sursautant qu'à l'instant où une voix, dominant toutes les autres, a crié : « Vive l'empereur immortel ! »

Je l'ai vu se tasser dans sa litière, laisser retomber son menton sur sa poitrine, comme s'il avait voulu montrer à son invisible compagne qu'il n'était en rien responsable du cri de cet inconnu, qu'il en reconnaissait la vanité, qu'il demandait à la mort de ne point s'irriter ni s'impatienter.

Parvenu au palais impérial, il a paru tout à coup ragaillardi, convoquant les architectes, leur disant qu'ils devaient construire au plus vite, sur l'emplacement du temple païen, un mausolée dont les murs seraient revêtus de mosaïques, et qui comporterait douze stèles disposées en cercle, chacune pour un dieu ou un apôtre. Au centre, ils élèveraient un tombeau de porphyre pour accueillir...

Il s'est interrompu. Son regard a parcouru l'assemblée qui, dans cette grande salle d'audience, l'écoutait.

– Un mausolée, a-t-il repris, au centre duquel, entouré de ses douze stèles, reposera...

Il s'est de nouveau interrompu comme s'il n'avait pas encore voulu admettre qu'il n'était qu'un mortel préparant sa propre sépulture.

37.

J'ai vu jour après jour la mort s'approcher de Constantin le Grand.

Il tentait de la repousser, cherchant à recouvrer la vigueur et l'élan de sa jeunesse. Il partait à la tête des légions pour les provinces bordant le Danube. Près de lui chevauchait le porte-enseigne tenant droit le *labarum*, le signe de Christos. Il acceptait la dure vie des camps, quand la terre, même sous la large tente impériale, est gorgée d'eau et que la boue déborde des tapis les plus épais.

Il remporta une nouvelle victoire contre les Goths, puis rentra à Constantinopolis.

Arrivant par la Mesée, il s'arrêta devant les murs en construction de ce qui serait son mausolée. Et, tout à coup, il se voûta. La plèbe autour de lui l'acclamait, criait une nouvelle fois qu'il était l'immortel, et elle lançait des pierres contre les esclaves qui s'affairaient sur le chantier du mausolée. La plèbe refusait elle aussi de

343

reconnaître que son empereur victorieux était mortel et qu'il s'apprêtait à quitter ce monde, puisqu'il avait choisi le lieu où son corps reposerait et serait honoré.

Je voyais Constantin se redresser comme si l'enthousiasme et les protestations de la foule l'avaient rassuré.

Mais je lisais sur son visage la lassitude et même l'épuisement. Il n'aimait plus la guerre ni la vie des camps. Il était l'empereur unique qui bientôt aurait régné trente années, et c'était le laps de temps que *Sol invictus* lui avait prédit.

Il avait cru en cette prophétie prononcée par un prêtre de *Sol invictus*, dans ce temple élevé à Grannum, au pied des Vosges. Le terme alors lui avait semblé lointain. Mais, maintenant, c'était comme un mur tout proche, devant lui, qu'il pouvait toucher.

Il voulait l'oublier, se redressait, commençait à parler avec sa voix forte d'autrefois, allant et venant dans la grande salle d'audience du palais où il avait rassemblé ses légats, ses tribuns, les évêques. J'étais près de lui, m'étonnant de l'énergie qui l'animait.

Il disait que, les Goths ayant été battus, les Vandales, devenus colons et soldats, allaient défendre la frontière du Danube si ceux-là tentaient à nouveau de franchir le fleuve. La sécurité de l'Empire était donc désormais assurée sur ce flanc-là. Mais il y avait l'autre : celui le long duquel les Perses se faisaient menaçants.

Il se tourna vers moi et m'interpella.

Pourquoi l'Église ne lui demandait-elle pas d'agir contre le roi des Perses, Châhpuhr II, alors qu'en Balylonie, en Assyrie, en Séleucie, en Arménie, ce souverain avait donné l'ordre de persécuter les chrétiens ? Châhpuhr les accusait d'être les soldats cachés de l'Empire romain. Ne partageaient-ils pas avec Constantin la même religion de Christos ?

Châhpuhr s'attaquait aussi aux marchands romains qui, par voie de mer ou en empruntant les longues pistes des caravanes, gagnaient l'Orient indien, y achetaient tissus de soie et perles, parfums et épices, toutes ces marchandises précieuses que l'on retrouvait à Constantinopolis dans les boutiques ouvertes le long de la Mesée.

Le roi des Perses accusait ces marchands de répandre la religion de Christos et d'être, eux aussi, les avant-gardes de l'empereur Constantin.

– Je vais combattre Châhpuhr et sa religion ! a lancé Constantin.

Il voulait, a-t-il ajouté, que des évêques et des

prêtres se joignent aux légions. Lui-même brandi-
rait le *labarum* et célébrerait le culte de Christos
à chaque étape. Il ferait construire des églises
dans les villes conquises pour que la foi chrétienne s'y répandît.

Il voulait assurer la paix du genre humain en
rassemblant les hommes dans une unique religion, celle de Christos.

Tout à coup, sa voix s'est brisée, il s'est mis à
respirer bruyamment comme si on lui avait pris
la poitrine en étau.

J'ai songé que la mort ressemble à ces plantes
grimpantes qui s'agrippent au tronc des arbres et
les étouffent.

Enfin Constantin a recouvré son souffle et,
quelques jours plus tard, il a pris la tête de l'armée partant pour l'Orient combattre les Perses du
roi Châhpuhr.

J'ai chevauché comme si souvent aux côtés de
Constantin et j'ai cru qu'il avait réussi pour de
bon à desserrer l'étreinte de la mort.

Il s'élançait le premier à la tête de la cavalerie
germanique et gauloise. Les Perses reculaient. Le
soir, au camp, autour du *labarum* planté en terre,
nous remerciions par nos prières Christos de nous
avoir conduits à la victoire.

Je ne quittais pas des yeux Constantin.

La fatigue creusait ses traits, et lui, que j'avais vu mener l'assaut, m'apparaissait tout à coup accablé par l'ennui, indifférent même au culte que nous célébrions, aux succès qu'il avait remportés. Il me semblait entendre la mort lui murmurer :

« À quoi bon cette nouvelle victoire ? Ton temps approche de la fin. Tu as parcouru ta route. Laisse à tes successeurs le soin d'aller plus loin. Tu as vaincu les Goths, les Sarmates, les Germains, les Alamans, les Vandales et tant d'autres peuples barbares. En Bretagne, le long du Rhin et du Danube, tu as établi des frontières sûres pour l'Empire. Tu as fondé la *Nova Roma*. Mais tu ne pourras pas imposer ta loi aux Perses. L'empire de Châhpuhr est aussi grand que le tien. Il est trop tard pour toi. »

Un matin, il a envoyé des messages à Châhpuhr, lui proposant de conclure entre eux une paix durable.

Nul n'a osé contester la décision de l'empereur. Mais l'étonnement et la déception se lisaient sur tous les visages.

C'était comme s'il venait d'annoncer qu'il renonçait à ce monde.

Nous sommes rentrés lentement à Constantinople dans la chaleur d'une fin d'été ocre et sèche.

Tous les yeux étaient rivés sur l'empereur qui avançait la nuque ployée comme si la mort, penchée sur lui, pesait de toutes ses forces pour le maintenir ainsi courbé, soumis.

Je n'étais plus le seul à la deviner près de lui, aussi puissante qu'impatiente. J'entendais les murmures.

Hésios chuchotait, tourné vers Optatus. Ablabius s'approchait de Constantin afin de le dévisager, de mesurer les effets de cette langueur que révélaient son attitude et son silence.

Mais l'empereur paraissait indifférent, ignorant cet entourage que les soupçons commençaient à miner et déchirer.

Les tribuns de la garde germanique se tenaient à l'écart, épiant ces conseillers de l'empereur en qui ils n'avaient pas confiance.

D'autres choisissaient déjà leur camp.

Fallait-il rejoindre les demi-frères et les neveux de l'empereur, Dalmatius le Vieux et ses deux fils – Dalmatius le Jeune et Hannibalius –, Julius Constantius et ses fils, deux jeunes enfants, Gallus et Julien, et le dernier demi-frère, Hannibalius l'Ancien ? ou bien devait-on se mettre au service des fils de Constantin – les enfants de Fausta –, Constantin II, Constance et Constans ?

Je devinais les hésitations, j'imaginais les conciliabules, je pressentais les conjurations qui, déjà, alors que nous n'avions pas encore traversé les détroits, s'ébauchaient.

Puis nous avons embarqué sur la trirème impériale et des vents contraires se sont levés, creusant la mer, nous empêchant d'atteindre le port de Constantinopolis avant la tombée du jour.

Constantin était resté debout à la proue du navire, regardant au loin les lumières de sa *Nova Roma* éclairer la nuit.

Tout à coup, une lueur d'un blanc éblouissant a fendu le ciel de part en part, depuis la côte d'Orient jusqu'à celle d'Occident, et la trace lumineuse ne s'est effacée que lentement, comme pour laisser aux hommes le temps de la découvrir, de la contempler et d'en garder le souvenir.

J'ai eu l'impression qu'un froid glacial m'enveloppait le corps et que cette lumière céleste avait absorbé tous les bruits, contraignant à l'immobilité, figeant les marins et les vagues.

Après qu'elle eut disparu, j'ai rejoint Constantin.

Il s'est tourné vers moi. Son visage semblait

apaisé mais nimbé par une auréole blanche, comme si le sang s'était retiré de ses joues et de son front.

— Voici le signe, a-t-il murmuré en montrant le ciel. Mon départ est proche.

Il a levé la main à hauteur de ma bouche, me contraignant par là au silence.

38.

Je n'ai plus pu parler à Constantin.

L'émotion me serrait la gorge quand je le voyais marcher d'un pas lent, s'arrêter pour reprendre son souffle, s'efforcer de donner le change à ses proches, à la plèbe de la *Secunda Roma*, à tous les visiteurs venus d'Italie, de Pannonie, de Gaule, de Syrie, de Bretagne, d'Espagne, d'Égypte, de Bithynie, des provinces les plus reculées de l'Empire pour célébrer les trente années de règne de Constantin l'immortel, le « Vainqueur perpétuel ».

Il se redressait alors que je l'avais surpris tassé, sur le point de s'affaisser, de renoncer à pénétrer dans la loge impériale. Mais plus de cent mille spectateurs l'attendaient, debout sur les gradins de l'hippodrome, et il devait lancer la course de chars.

Alors, pour quelques instants, il redevenait le jeune Constantin le Grand, l'empereur altier et vigoureux, le corps raide dans son manteau de pourpre, et il se présentait à la plèbe entouré de ses demi-frères et de ses neveux.

Les acclamations semblaient le régénérer. Avait-il réussi à repousser la mort, à l'oublier ?

Je ne croyais pas que ce fut possible.

Il écoutait l'évêque Eusèbe de Nicomédie lui tresser des louanges, lui promettre longue vie sous la protection de Christos.

Je détournais la tête.

Je ne voulais plus entendre ces mots rituels alors que je savais la mort à l'œuvre, tapie dans le corps las de Constantin.

L'empereur savait que je savais. J'ai cru deviner dans ses yeux qu'il souhaitait que je me tienne loin de lui, que je ne lui rappelle pas, par ma présence, tout ce qu'il avait vécu et qui allait se dissoudre pour renaître sous une forme dont les hommes ignorent tout.

Ainsi, si je n'ai plus pu lui parler, c'est aussi parce qu'il n'a plus voulu m'entendre.

Je n'étais plus que l'un des membres de son entourage, ne cherchant pas à m'avancer au premier rang, mais, au contraire, me tenant dans la pénombre des grandes salles du palais impérial.

J'entendais les murmures. Cyrille me rapportait les rumeurs.

Les demi-frères et leurs enfants, neveux de

Constantin, se concertaient pour tenter, après la mort de l'empereur, de s'installer au pouvoir.

Les tribuns de la garde germanique leur étaient hostiles et avaient envoyé des messagers aux fils de Constantin.

Déjà, l'un d'eux, Constance II, césar d'Orient, avait quitté Antioche afin de regagner au plus vite Constantinopolis, et les émissaires de ce jeune homme de dix-neuf ans à peine, au corps osseux, au visage comme une lame dure, forgée et reforgée, hantaient déjà le palais impérial, surveillant les agissements de Dalmatius et de Julius Constantius, les demi-frères de Constantin.

J'observais l'empereur.

Il se présentait souvent entouré de Dalmatius et de Julius Constantius, accompagnés de leurs enfants, ses neveux.

Avait-il décidé de léguer son empire aux descendants de son père et de sa seconde épouse, Theodora, et d'oublier ainsi ses propres fils, nés de cette Fausta qu'il avait fait assassiner ?

Le palais, me rapportait Cyrille, bruissait de suppositions, d'espoirs et de craintes, d'autant plus que le masque derrière lequel Constantin s'efforçait de dissimuler son état se fissurait.

Je l'ai vu s'appuyer à l'épaule de l'un de ses gardes, puis se redresser avec peine.

Je l'ai accompagné aux sources de Bithynie, là où jaillissait une eau bouillante et salée dont on assurait qu'elle prolongeait la vie.

Il a bu. Il s'est baigné dans ces vasques creusées dans la roche. Il a paru en resurgir rajeuni, puis il s'est courbé, tenant son ventre à deux mains, et on a dû le conduire jusqu'à sa villa d'Ancynora, non loin de Nicomédie.

Je m'y suis rendu.

J'ai vu, allant et venant devant la porte de la chambre impériale, Eusèbe de Nicomédie qui m'a interpellé. Constantin avait refusé le baptême, m'expliqua-t-il, exigeant qu'on le transportât jusqu'en Palestine. Là, il se plongerait dans les eaux du Jourdain, et, ainsi ondoyé, baptisé par l'eau divine, celle de Christos, il pourrait rejoindre Dieu comme membre de cette Église qu'il avait servie sa vie durant.

Eusèbe m'a saisi aux épaules.

Le voyage était impossible : Constantin mourrait avant d'arriver en Palestine.

Après avoir hésité, il m'a demandé d'essayer de convaincre l'empereur qu'il devait accepter d'être baptisé ici, en Bithynie.

– Dieu le sauvera. Il guérira son corps et son

âme. Il lui permettra de faire le voyage jusqu'à Jérusalem. N'a-t-Il pas déjà donné mille signes de Sa bienveillance, n'a-t-Il pas offert à Hélène un morceau de la Vraie Croix du Calvaire ?

L'impatience et la vanité d'Eusèbe de Nicomédie m'irritaient. Il voulait se grandir en étant celui qui baptiserait l'empereur Constantin. Il avait besoin de moi et craignait que je ne lui ravisse le rôle.

Ainsi, même ceux qui parlaient au nom de Christos, qui étaient les pasteurs des chrétiens, restaient des hommes en proie à leurs démons.

J'ai cependant fait demander à l'empereur s'il acceptait de me recevoir.

Peu après, le tribun de la garde m'a ouvert la porte et il m'a été donné de voir pour la dernière fois Constantin.

Il ne portait plus le manteau pourpre, mais la tunique blanche de l'homme qui s'apprête à solliciter de Dieu de le recevoir parmi les Siens, de lui accorder le baptême.

Je n'avais donc pas à le convaincre. De lui-même il avait décidé, maintenant qu'il était au seuil de la mort, de renoncer à demeurer pour les païens leur *Pontifex Maximus*, et, en même temps, à être pour les chrétiens l'« évêque du dehors », défenseur de leur Église.

Il avait choisi.

Je n'ai pas eu besoin de lui parler.

Je me suis agenouillé devant lui et j'ai embrassé le bord de sa tunique.

Puis je me suis retiré.

Et Eusèbe de Nicomédie a pu entrer dans la chambre.

Il est mort ce 22 mai, jour de la Pentecôte, le Saint-Esprit descendant sur lui en cette trois cent trente-septième année après la venue de Christos, faisant ainsi de lui, Constantin, le premier empereur chrétien, méritant, pour l'appui qu'il avait apporté à l'Église chrétienne, d'être nommé le treizième apôtre.

J'ai entendu Eusèbe de Nicomédie proclamer :
— Constantin le Grand a rejoint au Ciel le Dieu qui l'a choisi pour sauver l'empire du genre humain. Et Constantin s'est assis à la droite du Fils de Dieu.

J'ai vu le corps embaumé de l'empereur revêtu d'une tunique de soie blanche à liseré d'or.

Il reposait dans un cercueil recouvert de feuilles d'or. Dans le palais impérial de Constantinopolis, sa ville, où on l'avait ramené, la plèbe est venue s'agenouiller devant lui qui paraissait si jeune, à peine endormi, vivant.

ÉPILOGUE

39.

On n'entendra plus la voix de Denys l'Ancien.

Il est mort après avoir raconté comment il avait vu sceller dans un sarcophage de porphyre la dépouille de Constantin le Grand, l'empereur baptisé au dernier jour de sa vie.

Marcus Salinator a trouvé Denys l'Ancien bras écartés, les mains agrippées aux rebords de la longue écritoire sur laquelle étaient dispersés des rouleaux et des feuilles de parchemin, des tablettes, des stylets, les *Histoires* et les *Annales* composées par les ancêtres de Marcus.

Denys semblait avoir voulu rassembler, tirer à lui tous ces mots, ce passé qu'il avait, au cours des mois précédents, reconstitué.

Sa tête et son buste affaissés cachaient la dernière page de son manuscrit.

Marcus s'est penché et a découvert le visage serein de Denys l'Ancien, celui d'un homme enfin délivré qui voit s'avancer vers lui la mort espérée, au moment qu'il avait souhaité.

Car, interrompant son récit en ce mois de mai 337, alors que s'achevaient les funérailles de Constantin le Grand, Denys l'Ancien n'a pas eu à revivre les années troublées qui ont suivi.

Elles ont commencé par un jour de carnage, quand, quelques semaines seulement après la mort de Constantin le Grand, l'un de ses fils, Constance, arrivé en hâte d'Antioche, a ordonné le meurtre des demi-frères de son père, ses oncles, et de leurs enfants, ses cousins.

Les soldats de la garde impériale ont pénétré, glaive au poing, dans le palais impérial. Ils ont égorgé Dalmatius, Julius Constantius, Hanniba-lius, leurs fils, leurs proches, leurs amis, leurs conseillers, leurs affranchis et jusqu'à leurs esclaves.

Le sang a maculé les dalles de marbre des salles du palais. Sur le tissu bleu des tentures, les doigts des mourants ont laissé des traînées rougeâtres.

Les tueurs n'ont épargné que trois jeunes enfants, Gallus et Julien, les fils de Dalmatius, et l'un des compagnons de jeu de Julien, Marcus Salinator.

Plus tard, Julien, devenu empereur, se souviendra de cette nuit de meurtres, de la terreur d'enfant qu'il avait éprouvée, de la haine qu'il a vouée à ces assassins, les fils de Constantin le Grand, qui clamaient et imposaient leur foi chrétienne, mais qui s'étaient conduits comme les plus criminels des barbares.

C'était donc cela, la vérité et la religion de Christos ? a-t-il pensé.

Il s'est tourné vers les dieux anciens, Jupiter, *Sol invictus*, Hercule et Cybèle, manière de s'éloigner de ces chrétiens meurtriers, de ne pas partager leur religion hypocrite.

Il le redira à Marcus Salinator, lui aussi survivant, lui aussi blessé à jamais par ce qu'il avait vu, entendu, ces cris d'effroi, ce heurt des lames sur le marbre : « C'est une chose incontestée que je tire mon origine de la même lignée paternelle que Constance : mon père et le sien étaient frères du même sang, celui de Constance Chlore. Et pourtant, malgré les liens de parenté intime qui nous unissaient, tu te souviens comment ce souverain, que l'on disait si bon, adepte d'une religion de la charité, du pardon, de l'amour, de la compassion, de la vérité, s'est conduit ! Mes six cousins, qui étaient aussi les siens, mon père, qui était son oncle, puis encore un autre oncle commun du côté paternel, et enfin mon frère aîné, tous, il les fit mettre à mort sans jugement. Il voulait nous tuer aussi, Gallus, mon autre frère, et toi, Marcus Salinator. Les dieux, nos dieux, *Sol invictus*, Apollon, ont retenu la main de ses tueurs. Mais tu sais ce qu'il nous a fait subir ! »

Ils avaient été exilés, surveillés par une nuée d'espions, menacés à chaque instant d'être égorgés. Gallus le fut d'ailleurs quelques années plus tard. Mais Julien et Marcus survécurent, réussissant à ne pas être séparés, feignant de ne s'intéresser qu'à l'étude, sachant qu'il eût suffi d'un soupçon pour que le « divin Constance, l'immortel auguste », resté seul à la tête de l'Empire – ses deux frères étant morts –, décidât de les tuer.

Comment Julien et Marcus Salinator eussent-ils pu croire en la religion de Christos dont se réclamait l'empereur Constance ?

Julien lisait les auteurs grecs, y découvrait les divinités de l'Olympe, ces dieux anciens qui lui paraissaient justes. Dans un murmure il confiait à Marcus Salinator l'attirance qu'ils exerçaient sur lui, sa conversion aux religions et aux sacrifices païens, sa haine et son dégoût pour la foi en Christos, celle de l'empereur criminel, des délateurs et des tueurs qui rôdaient autour d'eux.

Il faisait le procès de ceux qu'il appelait les « Galiléens », des traîtres qui n'étaient pas restés fidèles à la doctrine des Hébreux, ce peuple dont ils étaient issus, des charlatans qui voulaient faire croire que la résurrection avait arraché ce Christos à la mort et qu'elle ouvrait à tous la vie éternelle, alors qu'il ne s'agissait que d'une supercherie.

C'étaient des superstitieux qui répandaient des illusions, qui refusaient la vie et ses plaisirs, la philosophie et la beauté, pour se complaire dans la fascination de la mort.

« Ils ont tout rempli de tombeaux et de sépultures », répétait Julien à Marcus Salinator. Et, lorsque celui-ci hésitait à partager ces critiques, Julien lui rappelait les tueurs agissant au nom d'un empereur chrétien, héritier de ce Constantin le Grand qui avait, lui, fait égorger son fils Crispus, son neveu Licinius le Jeune, et ébouillanter la mère de ses enfants, Fausta.

Suffisait-il, après cela, de se baigner dans une vasque ou de recevoir sur le corps une eau prétendument sacrée pour que ces crimes s'effacent ?

Qui pouvait accepter de telles superstitions ?

Le baptême ne guérissait aucune des infirmités dont un corps pouvait être accablé. Il ne chassait ni la fièvre ni la peste ! Comment penser qu'il pourrait faire disparaître les adultères, les rapines, les meurtres, tous les vices de l'âme ?

Et c'était pour ces tours de magie, cette religion morbide que Constantin le Grand et Constance, avec tous leurs magistrats, avaient abandonné les dieux de Rome, pillé les temples de *Sol invictus*, de Cybèle, d'Hercule, de Jupiter, d'Apollon, afin que le marbre et le porphyre et jusqu'aux tissus servent à construire et à enrichir les églises de Christos ? Constantinopolis n'était belle que parce que ses places, son hippodrome, ses forums, sa voie de la Mesée étaient peuplés des statues volées dans les temples d'Alexandrie et d'Antioche, d'Athènes et de Sirmium !

Julien répétait qu'il exigerait, s'il venait à accéder au trône impérial, que les fruits de ces pillages, ordonnés par Constantin le Grand pour la gloire de sa *Nova Roma* et de sa foi, soient restitués aux temples des divinités romaines.

Et au dieu qui les dominait toutes, *Sol invictus*, le Soleil, Apollon.

N'était-il pas plus juste, plus conforme à l'ordre du monde de nourrir un amour passionné pour les rayons du Soleil plutôt que pour un corps crucifié, troué de plaies, souffrant mille douleurs, mourant avant d'être pour consoler ceux qui croyaient à sa puissance, prétendument ressuscité ?

« Je n'avais d'attention, disait Julien, que pour les merveilles des cieux. Le Soleil rassemble en lui tous les dieux de notre univers, il veille sur l'ensemble du genre humain... Qu'il daigne m'accorder de vivre et de gouverner ce siècle dans toute la mesure compatible avec son bon plaisir, mon profit et les intérêts de l'État romain... Que je quitte cette existence en toute sérénité à l'heure voulue par le destin ! Qu'ensuite je m'élève vers lui et me fixe auprès de lui à jamais, ou, si cette faveur dépasse les mérites de ma conduite, pour une innombrable succession de siècles ! »

Voilà la vraie religion romaine, assurait Julien, et il condamnait ce culte et cette exaltation des morts qui se trouvaient être au cœur de la religion de Christos.

« Un corps blessé, cloué sur la Croix, voilà le signe des adeptes de Christos ! Regarde le ciel, Marcus Salinator, le Soleil l'illumine. C'est *Sol invictus* qui règne sur l'univers et auquel nous devons dédier un culte, élever des temples, sacrifier des taureaux et des moutons. Telle est la tradition de Rome. »

On n'entendra pas Denys l'Ancien exprimer son désarroi, puis sa révolte quand, en 361, après la mort de l'empereur Constance qui se proclamait auguste éternel, Julien, le survivant du jour du massacre, devint empereur et décida de rendre aux païens les richesses qu'on leur avait volées, de réduire l'Église chrétienne à n'être que l'expression d'une religion parmi d'autres, et non la religion de l'empereur, donc celle de l'Empire.

Il fallait que les chrétiens renoncent à imposer leur foi, à dépouiller et à persécuter les païens. Chaque homme devait marcher vers le Dieu unique au gré des chemins qu'il aurait choisis.

Mais Denys l'Ancien aurait pu dénoncer l'hypocrisie et les mensonges de Julien, raconter comment lui-même avait dû quitter Constantinopolis pour n'y être pas arrêté, supplicié et sans doute assassiné.

Il s'était réfugié à Antioche, ville où les chrétiens étaient nombreux. Là, comme au temps des empereurs persécuteurs, il avait recueilli les plaintes de ses frères en Christos.

Marcus Salinator a découvert à ce sujet sur l'écritoire un long passage rédigé par Denys l'Ancien.

Il l'a lu, gagné par l'indignation devant la

manière dont ce dernier rapportait ce qui avait été.

Julien avait prêché la tolérance envers les chrétiens ? D'après Denys l'Ancien, au contraire, « Julien l'Apostat est le persécuteur masqué. Sa bonté apparente dissimule sa dureté, sa persuasion courtoise est en fait violente. Son indulgence cache sa cruauté. Toute son action consiste à nous empêcher de montrer que, dans les supplices, nous chantons notre foi en Christos.

« Julien l'Apostat veut nous faire souffrir sans que nous puissions recueillir l'honneur d'avoir souffert pour Christos. Il veut détruire notre réputation. Il le fait comme un serpent. Il est habile. Il ne clame pas son impiété, comme les autres persécuteurs. Il ne publie aucun édit de poursuites. Il ne se comporte même pas en tyran à notre endroit. C'est avec une bassesse d'âme parfaitement servile et avec lâcheté qu'il cherche à nuire à la foi. Il abandonne l'usage de la tyrannie aux peuples et aux cités en les poussant à agir contre les fidèles de Christos. Sa duplicité est sans limites.

« Il ne publie aucune décision officielle, mais se contente, en ne réprimant pas les attentats qu'il suscite, de donner à sa volonté la force d'une loi non écrite. »

Dans un geste rageur, Marcus Salinator a repoussé loin de lui ce qu'il estimait n'être qu'une de ces calomnies que les chrétiens avaient répandues pour combattre Julien l'Apostat.

Il a regretté la mort de Denys l'Ancien, une fuite commode ! Il lui aurait rappelé les propos de Julien : « Il faut éclairer les gens qui déraisonnent, et non les punir... J'en ai usé avec les Galiléens avec douceur et humanité, de façon qu'aucun d'eux ne fût nulle part violenté ni traîné au temple, ni contraint par de mauvais traitements à quelque action contraire à sa volonté... Je ne répéterai jamais trop que ceux qui font du zèle pour la vraie religion ne molestent, n'attaquent ni n'insultent la foule des Galiléens. Il faut avoir plus de pitié que de haine pour ceux qui ont le malheur d'errer en si grave matière... Je ne tolère pas qu'on traîne les chrétiens de force devant les autels des vrais dieux de Rome... »

Et cependant, à Antioche, à Alexandrie, des chrétiens avaient été lapidés, battus à mort pour avoir crié leur haine envers cet empereur païen qui faisait rouvrir les temples d'Apollon et présidait aux sacrifices devant les statues des dieux.

Les païens défendaient leur empereur, et la haine engendrait la haine.

Le Dieu de l'autre était l'ennemi. La religion de l'autre, une mascarade, une supercherie, une superstition.

Nombreux étaient les citoyens qui craignaient que ces oppositions n'affaiblissent l'Empire. Ils avaient déjà la nostalgie de l'ordre qu'avait restauré Constantin le Grand. Ils regrettaient le temps de la foi unique, autour de laquelle tous se rassemblaient. Si la croyance en Christos se fissurait, que deviendrait le pouvoir de l'empereur ? Quel sort serait celui de l'Empire ? Comment combattre et repousser les Barbares qui se pressaient sur les rives du Rhin et du Danube ? Comment arrêter les Perses qui se préparaient, au-delà du Tigre et de l'Euphrate, à donner l'assaut ?

L'armée que Julien l'Apostat avait réunie à Antioche suffirait-elle ? Il lui fallait s'emparer de Ctésiphon, capitale de l'Empire perse.

Christos avait donné la victoire à Constantin le Grand. Les dieux païens seraient-ils aussi favorables à Julien et donc à l'Empire ?

On guettait le sort des armes.

C'est une fin de journée de cette trois cent soixante-quatrième année après la naissance de Christos.

La chaleur est accablante. Marcus Salinator chevauche près de Julien dans ces espaces de sable jaune où parfois les eaux des grands fleuves, le Tigre et l'Euphrate, paraissent s'ensevelir avant de resurgir et de se répandre paresseusement afin que des milliers d'oiseaux viennent nicher dans les roseaux et puissent tout à coup faire vibrer le ciel de leur ailes.

Depuis le matin, Julien semble d'humeur sombre.

Penché sur l'encolure de son cheval, la main droite lissant sa barbe bouclée, il a confié à Marcus Salinator avoir vu, dans la nuit, le dieu solaire, *Sol invictus*, la tête voilée d'un tissu noir.

Sol invictus l'a invité à le suivre. Julien est persuadé que cette divinité, le dieu des dieux, qui lui était jusqu'alors apparu rayonnant, venait de lui annoncer la nuit de sa mort.

Tout au long du jour, Marcus Salinator a tenté de faire oublier à l'empereur cette vision néfaste, mais elle le hantait, et lorsque, au crépuscule, l'armée a été encerclée par des cavaliers perses, Julien l'Apostat a levé le bras en signe d'adieu.

Marcus Salinator a vu un javelot le frapper au-dessus du coude. L'arme n'a pas été lancée par les Perses, trop éloignés encore, mais depuis les rangs de la cavalerie romaine.

L'un des soldats, de ces chrétiens qui haïssaient Julien, avait dû trouver l'occasion propice pour abattre l'Apostat, le restaurateur des idoles, le persécuteur masqué des chrétiens, l'empereur qui était censé éloigner l'empire de Christos et ainsi le diviser, l'affaiblir.

Il fallait donc satisfaire Christos et, pour l'Empire, abattre Julien l'Apostat.

Le cavalier a lancé son arme avec une force que multipliait sa haine, et la blessure était grave. Le javelot a égratigné la peau du bras, puis percé les côtes et s'est fiché dans le tronc à hauteur du foie.

Julien a tenté de l'arracher de sa main droite, mais le sang a jailli de ses doigts, coupés par le double tranchant du fer.

Il a roulé à bas de sa monture et aucun cavalier romain ne s'est élancé pour lui porter secours.

Marcus a vu les soldats se détourner et s'enfuir. C'est lui qui a soulevé et porté le corps de Julien jusqu'au camp.

Il l'a veillé, l'a entendu prononcer d'une voix rauque :

— Dieu solaire, *Sol invictus*, tu m'as vaincu !

Paroles de païen qui se souvenait de son rêve, de l'avertissement émis par le dieu.

Dès le lendemain matin, les légions se sont rassemblées et les soldats ont élu, pour succéder à

Julien, un officier illyrien de la garde impériale, Jovien.

Sa seule qualité était d'être le plus ancien des centurions.

Il a regardé avec effroi ceux qui l'ovationnaient.

Jamais cet homme simple, qui ne se souciait que de femmes et de vin, n'avait imaginé présider aux destinées de l'empire du genre humain. Il ne se distinguait des autres officiers que par la taille, marchant la tête rentrée dans les épaules, le buste penché en avant comme pour faire oublier qu'il était le plus grand.

Jovien n'a régné que quelques mois.

On l'a retrouvé mort sous sa tente après une nuit de beuverie. Mais il avait eu le temps de rendre aux chrétiens les droits, les pouvoirs et les biens que Julien l'Apostat leur avait retirés.

Ainsi Julien avait-il été le dernier des empereurs païens, et sa tentative pour rétablir la foi dans les dieux de Rome avait-elle échoué.

Denys l'Ancien avait pu célébrer à nouveau la gloire de Christos, le Sauveur de l'Empire.

Il avait prêché à Constantinople et à Nicomédie, à Rome et à Milan, à Lugdunum et à Trèves.

Les fidèles qui se rassemblaient autour de lui étaient de plus en plus nombreux. Face aux périls, l'Église de Christos apparaissait la seule force nouvelle capable de sauver l'Empire.

Denys l'Ancien avait répété devant chaque communauté chrétienne que Christos protégeait l'Empire et assurait son avenir, son règne sur le genre humain, et qu'il avait puni Julien pour avoir voulu briser l'union entre l'Empire et le Dieu unique.

Denys l'Ancien avait affirmé que Julien s'était néanmoins repenti à l'heure de sa mort.

Il n'avait pas invoqué les dieux païens, ces idoles qu'il avait honorées durant ses trois années d'imperium.

Il avait reconnu sa défaite et avoué, dans un acte de soumission à Christos : « Galiléen, tu as vaincu ! »

Dans tout l'Empire, d'Antioche à Trèves, de Constantinopolis à Lutèce, on avait répété : « Notre Galiléen, notre Dieu a vaincu ! », « Notre Empire est celui de Christos ! », « Notre empereur est chrétien ! ».

Et les païens se convertissaient en masse parce qu'on s'agenouille toujours devant le vainqueur.

D'abord à Tarse où les légions avaient accompagné la dépouille de Julien, puis à Constantinopolis, à Rome et dans sa villa de Capoue, seul Marcus Salinator a continué à prétendre que Julien était demeuré païen.

Qu'au moment de sa mort il avait invoqué *Sol invictus* et non pas Christos.

Il avait dit : « Dieu Solaire, *Sol invictus*, tu m'as vaincu ! » et non pas : « Galiléen, tu as vaincu ! »

Qui mentait, de Denys l'Ancien ou de Marcus Salinator ?

Rien, dans leur destin, ne permettait de répondre.

Que croire, alors ?

Question de foi.

Table

DU MÊME AUTEUR

ROMANS

Le Cortège des vainqueurs, Robert Laffont, 1972.
Un pas vers la mer, Robert Laffont, 1973.
L'Oiseau des origines, Robert Laffont, 1974.
Que sont les siècles pour la mer, Robert Laffont, 1977.
Une affaire intime, Robert Laffont, 1979.
France, Grasset, 1980 (et Le Livre de Poche).
Un crime très ordinaire, Grasset, 1982 (et Le Livre de Poche).
La Demeure des puissants, Grasset, 1983 (et Le Livre de Poche).
Le Beau Rivage, Grasset, 1985 (et Le Livre de Poche).
Belle Époque, Grasset, 1986 (et Le Livre de Poche).
La Route Napoléon, Robert Laffont, 1987 (et Le Livre de Poche).
Une affaire publique, Robert Laffont, 1989 (et Le Livre de Poche).
Le Regard des femmes, Robert Laffont, 1991 (et Le Livre de Poche).
Un homme de pouvoir, Fayard, 2002 (et Le Livre de Poche).
Les Fanatiques, Fayard, 2006.

SUITES ROMANESQUES

La Baie des Anges :
  I. *La Baie des Anges*, Robert Laffont, 1975 (et Pocket).
 II. *Le Palais des Fêtes*, Robert Laffont, 1976 (et Pocket).
III. *La Promenade des Anglais*, Robert Laffont, 1976 (et Pocket).
     (Parue en 1 volume dans la coll. « Bouquins », Robert Laffont, 1998.)

Les hommes naissent tous le même jour :
  I. *Aurore*, Robert Laffont, 1978.
 II. *Crépuscule*, Robert Laffont, 1979.

La Machinerie humaine :
• *La Fontaine des Innocents*, Fayard, 1992 (et Le Livre de Poche).
• *L'Amour au temps des solitudes*, Fayard, 1992 (et Le Livre de Poche).
• *Les Rois sans visage*, Fayard, 1994 (et Le Livre de Poche).
• *Le Condottiere*, Fayard, 1994 (et Le Livre de Poche).
• *Le Fils de Klara H.*, Fayard, 1995 (et Le Livre de Poche).
• *L'Ambitieuse*, Fayard, 1995 (et Le Livre de Poche).
• *La Part de Dieu*, Fayard, 1996 (et Le Livre de Poche).
• *Le Faiseur d'or*, Fayard, 1996 (et Le Livre de Poche).
• *La Femme derrière le miroir*, Fayard, 1997 (et Le Livre de Poche).
• *Le Jardin des Oliviers*, Fayard, 1999 (et Le Livre de Poche).

Bleu, blanc, rouge :
I. *Marielle*, Éditions XO, 2000 (et Pocket).
II. *Mathilde*, Éditions XO, 2000 (et Pocket).
III. *Sarah*, Éditions XO, 2000 (et Pocket).

Les Patriotes :
I. *L'Ombre et la Nuit*, Fayard, 2000 (et Le Livre de Poche).
II. *La flamme ne s'éteindra pas*, Fayard, 2001 (et Le Livre de Poche).
III. *Le Prix du sang*, Fayard, 2001 (et Le Livre de Poche).
IV. *Dans l'honneur et par la victoire*, Fayard, 2001 (et Le Livre de Poche).

Les Chrétiens :
I. *Le Manteau du soldat*, Fayard, 2002 (et Le Livre de Poche).
II. *Le Baptême du roi*, Fayard, 2002 (et Le Livre de Poche).
III. *La Croisade du moine*, Fayard, 2002 (et Le Livre de Poche).

Morts pour la France :
I. *Le Chaudron des sorcières*, Fayard, 2003.
II. *Le Feu de l'enfer*, Fayard, 2003.
III. *La Marche noire*, Fayard, 2003.

L'Empire :
I. *L'Envoûtement*, Fayard, 2004.
II. *La Possession*, Fayard, 2004.
III. *Le Désamour*, Fayard, 2004.

La Croix de l'Occident :
I. *Par ce signe tu vaincras*, Fayard, 2005.
II. *Paris vaut bien une messe*, Fayard, 2005.

Les Romains :
I. *Spartacus. La Révolte des esclaves*, Fayard, 2005.
II. *Néron. Le Règne de l'Antéchrist*, Fayard, 2006.
III. *Titus. Le Martyre des Juifs*, Fayard, 2006.
IV. *Marc Aurèle. Le Martyre des Chrétiens*, Fayard, 2006.

POLITIQUE-FICTION

La Grande Peur de 1989, Robert Laffont, 1966.
Guerre des gangs à Golf-City, Robert Laffont, 1991.

HISTOIRE, ESSAIS

L'Italie de Mussolini, Librairie académique Perrin, 1964, 1982 (et Marabout).
L'Affaire d'Éthiopie, Le Centurion, 1967.
Gauchisme, réformisme et révolution, Robert Laffont, 1968.
Histoire de l'Espagne franquiste, Robert Laffont, 1969.
Cinquième Colonne, 1939-1940, Plon, 1970 et 1980, Complexe, 1984.
Tombeau pour la Commune, Robert Laffont, 1971.

La Nuit des Longs Couteaux, Robert Laffont, 1971 et 2001.
La Mafia, mythe et réalités, Seghers, 1972.
L'Affiche, miroir de l'Histoire, Robert Laffont, 1973 et 1989.
Le Pouvoir à vif, Robert Laffont, 1978.
Le XXᵉ Siècle, Librairie académique Perrin, 1979.
La Troisième Alliance, Fayard, 1984.
Les idées décident de tout, Galilée, 1984.
Lettre ouverte à Robespierre sur les nouveaux Muscadins, Albin Michel, 1986.
Que passe la Justice du Roi, Robert Laffont, 1987.
Manifeste pour une fin de siècle obscure, Odile Jacob, 1989.
La gauche est morte, vive la gauche, Odile Jacob, 1990.
L'Europe contre l'Europe, Le Rocher, 1992.
L'Amour de la France expliqué à mon fils, Le Seuil, 1999.
Histoire du monde de la Révolution française à nos jours en 212 épisodes, Fayard, 2001 (et Le Livre de Poche, mise à jour 2005 sous le titre *Les Clés de l'histoire contemporaine*).
Fier d'être français, Fayard, 2006.

BIOGRAPHIES

Maximilien Robespierre, histoire d'une solitude, Librairie académique Perrin, 1968 (et Pocket).
Garibaldi, la force d'un destin, Fayard, 1982.
Le Grand Jaurès, Robert Laffont, 1984 et 1994 (et Pocket).
Jules Vallès, Robert Laffont, 1988.
Une femme rebelle. Vie et mort de Rosa Luxemburg, Fayard, 2000.
Jè. Histoire modeste et héroïque d'un homme qui croyait aux lendemains qui chantent, Stock, 1994, et Mille et Une Nuits, 2004.

Napoléon :
 I. *Le Chant du départ*, Robert Laffont, 1997 (et Pocket).
 II. *Le Soleil d'Austerlitz*, Robert Laffont, 1997 (et Pocket).
 III. *L'Empereur des rois*, Robert Laffont, 1997 (et Pocket).
 IV. *L'Immortel de Sainte-Hélène*, Robert Laffont, 1997 (et Pocket).

De Gaulle :
 I. *L'Appel du destin*, Robert Laffont, 1998 (et Pocket).
 II. *La Solitude du combattant*, Robert Laffont, 1998 (et Pocket).
 III. *Le Premier des Français*, Robert Laffont, 1998 (et Pocket).
 IV. *La Statue du Commandeur*, Robert Laffont, 1998 (et Pocket).

Victor Hugo :
 I. *Je suis une force qui va !*, Éditions XO, 2001 (et Pocket).
 II. *Je serai celui-là !*, Éditions XO, 2001 (et Pocket).

César Imperator, Éditions XO, 2003 (et Pocket).

CONTE

La Bague magique, Casterman, 1981.

EN COLLABORATION

Au nom de tous les miens, de Martin Gray, Robert Laffont, 1971 (et
Pocket).

Photocomposition Nord Compo
Villeneuve-d'Ascq

Impression réalisée sur CAMERON par
BRODARD ET TAUPIN
La Flèche

pour le compte des Éditions Fayard
en octobre 2006

N° d'édition : 78078 – N° d'impression : 38036
ISBN : 2-213-63054-2
Dépôt légal : octobre 2006
35-33-3294-2/01
Imprimé en France